JN013253

イスラム世界に平和は来るか？

抗争するアラブとユダヤ、そしてイラン

小滝 透 *Toru Kotaki*

春秋社

はじめに

日本は長らくイスラム世界の真空地帯であった。それがようやく埋められるのは明治時代になってのことで、海外に出向いた日本人がムスリム（イスラム教徒）になり、あるいは海外から外国人ムスリムが来日するに及び、イスラム教の存在がわずかながらも知れ渡ることになる。

その後日本は、中国における国策上イスラム教への接近を始めてゆくが、これまた日本の敗戦で、イスラム教との関係は途絶えることになってしまった。

その状態は戦後も変わらず続いてゆくが、それが劇的に変わるのが第四次中東戦争を契機にした石油危機（一九七三年）で、この時初めて日本人の視野の中にアラブ・イスラム世界の存在が飛び込んできたのである。どこか遠くの奇妙な教えを信奉していた異邦人が、いきなりヌッと現れた――そんな感じだ。

ただ、これをもっても、ほんの短い付き合いである。互いに相手を理解するのに十分な時間ではむろん、ない。しかも、日本人とイスラム世界は、その世界観がまるで違ったこともあり、知れば知るほど違和感が募る状態になっている。

私はサウジで三年ほど留学をした経験を持っているが、この地に違和感を持たない日本人はまずいなかった。何せ、宗教から始まって文化・慣習に至るまで何もかもが違っているのだ。しかも、その一々が違和感の募るものばかりであった。そもそも、この地の女性は厚いベールで顔を包み、交わることなど一切できない。現地の女性と話したことは、三年間でたった五分間だけである。それも私が来たことを知らなかった友人の妹と偶然に出くわし、立ち話をしただけなのだ。

これでは互いに理解するのは難しい。にもかかわらず、狭くなった世界においては両者が交わる機会が増え、理解し合う必要が生じている。

そこで、分からぬなりにも何とか相手を理解しようと試みざるをえないわけで、この書もそうした試みの一つである。

ちなみに、読んでもらえば分かることだが、私は思ったことをかなり踏み込んで書いている。一般に日本人（研究者も含む）のイスラム・キリスト教関係の著作を見ると、多様性の尊重とかで相手に調子を合わせ過ぎ、自らの立場を主張しないものが数多い。

が、私はそうした立場は一切取らない。だから、いわゆる一神教（主としてイスラム教とキリスト教）への批判についても、常日頃思っていることを率直に書いてみた。また、一神教の在り方を通じる形で、日本との違いも意識して書いてみた。そうでなければ、自他の違いが明らかにならず、明らかにならなければ少しも前へ進まないと思っているからである。

以上が私の立場であり、それを踏まえて読んでいただき、キリスト教やイスラム教への理解が少しでも深まれば、これに勝るものはない。

イスラム世界に平和は来るか？　目次

付論

なぜ日本人は一神教がわからないのか

イスラム世界に平和は来るか？——抗争するアラブとユダヤ、そしてイラン

第1章　中東イスラム世界の政治事情

1　アラブには二つのナショナリズムが存在する

一般に、近代国家の成立時には強いナショナリズムが発生する。日本でもそうで、それまであった藩意識や身分意識が急速に払拭され日本人意識が勃興した。具体的には、「やれ長州人だ、薩摩人だ」という地方性や「やれ武士だ、百姓だ、町人だ」という身分制が清算され均一の国民に統合されてゆく。つまり、全ての者を平等・平均化することで同じ国民としての連帯感を持たせたということだ。

この国民の成立は非常に重要なことであり、これがなければ近代国家は成り立たず、近代国家が成り立たなければ植民地になる他なかった。事実、国民が成立しない非ヨーロッパ世界ではアジアの世界帝国でさえ西欧列強の餌食になった。

オスマン帝国はその領土を切り刻まれ小アジア（アナトリア）に命脈を保つだけの小国に成り下がり、清帝国（中国）は主要地域を虫食いのように蝕まれ、ムガール帝国（インド）に至ってはその何十分の一にも満たないイギリスの併合するところとなってしまった。

これ、みな、国民を作れなかったせいである。日本はこの時、かろうじて国民を創り上げ、植民地になるのを回避したのだ。その際に成立したのが新たな国民（民族）を創り出す日本ナショナリズムであった。

ここで興味深いのは「日本人がナショナリズムは一つだ」と固く信じていることだ。「なぜ一つなのか」と問い質すと、「一つの国は一つのナショナリズムに対応するはずである」とまことに素朴な答えが返ってくる。

なるほど、日本の場合はそうである。ナショナリズムを標榜する幾多の団体はあるにせよ、ナショナリズムそのものは一つである。しかも、そのいずれもが天皇を頭上に戴く君主制を基本とし、共和制を目指すナショナリズムは皆無であった。

だが、アラブは違う。当地にはナショナリズムが二つある。

それを聞くと、「へえ～！」と驚きの声が挙がるが、アラブにとってはナショナリズムが一つだけという状態が珍しいのだ。

例えばここに、一人のシリア人アラブがいたとしよう。この場合、アラブのアイデンティティーが優先し、「おれはアラブだ、しかる後にシリア人だ」とした場合、彼はアラブ・ナショナリストと考えられる。これをアラビア語では「カウミーヤ」と呼んでいる。

一方、彼がシリア人のアイデンティティーを優先し、「おれはシリア人だ、しかる後にアラブだ」とした場合、彼は国家ナショナリストと考えられる。これをアラビア語では「ワタニーヤ」と呼んでいる。

つまり、アラブ諸国には、民族を優先するカウミーヤと国家を優先するワタニーヤの二つのナショナリズムが存在し、しかも両者はひどく仲が悪いのである。

これにイスラム教を至上とする宗教原理主義が加わって、アラブの政治潮流は三つ巴の様相を呈している。この三者は、欧米の圧力が加わると、その内の二者が結び、あるいは三者が結合するが、圧力が減ずると互いが互いを否定し合う不倶戴天の敵になる。

中東政治が分かりにくいのは、ほぼこの事に依っている。

実は、一時、この三者に加え共産主義が流行った時期が存在する。一九六〇年代後半から七〇年代にかけ、日本赤軍がパレスチナ解放人民戦線（ＰＦＬＰ）らとテロ活動を行っていた時期がそれに当たる。

だがそれも、共産主義が衰退する中、急速に影響力を失くしてゆく。

したがって、右の三者競合が常なのだが、この内アラブ・ナショナリズムは、その提唱者たるナセル（エジプト大統領）が六日戦争（一九六七年）でイスラエルに大敗したのを皮切りに、その後継者たるアラブ・ナショナリストたち、すなわちムアンマル・カッザーフィ（カダフィ。リビア）やサッダーム・フセイン（イラク）が殺害され、残るバシャール・アサド（シリア）も内戦により致命傷を負ったことから、その命脈は尽きている。これで、アラブ・ナショナリズムは、三者競合から脱落した。

したがって、現在は国家ナショナリズムとイスラム主義の衝突がアラブ政界の中心になっている。近年起きたエジプト軍部（彼らは国家ナショナリストである）とムスリム同胞団（イフワーン・ムスリミーン）の抗争はまさにその典型である。

ここまでくればはっきりする。

日本にはナショナリズムは一つしかなく、おまけにイスラム教に匹敵する世界宗教が存在しない（日本の世界宗教たる仏教は政治にタッチしない）。

日本人にアラブの政治事情が分かりにくいのも、けだしやむを得ないかもしれない。

2　サウジアラビア——武装カルトが創った国

数年前、かのイスラム国（ＩＳ）が建国を宣言した。だが、これを国家だと誰しも承認しなかった。

しかしながら、もしイスラム国が拡大し、実質的な国家建設をしたならばどうなるか？　その時は、その現実を認めざるをえないであろう。

実は、イスラム国と同様の武装カルトが国家になった例がある。

サウジアラビア（サウード家のアラビア）である。この国は、アラビア半島のほんの地方勢力からスタートし、幾多の遍歴を重ねた後イブン・サウード（一八七六―一九五三）の時代になって建国された経緯がある。フランスの伝記作家ブノアメシャンの著した中東三部作の中に『砂漠の豹イブン・サウド』（河野鶴代・牟田口義郎訳、筑摩書房）があり、詳しくはそれを読むことをお勧めするが、その統一はイスラム原理主義（ワッハーブ派）を狂信する武装部隊（イフワーン）を東西南北に派遣した血塗られたものであった。主なものを拾っても、ヒジャーズ（アラビア半島西部地区）の町ターイフを落とした際には婦女子を含む数百人を虐殺した。同じくヒジャーズのジッダを落とした時には町中を荒らしまわった。とりわけ、西欧産のものは目の敵にして壊していった。彼らは街中を徘徊し、電話・ラジオ・車を壊し、電線・電話線を引きちぎった。要するに、少しでも異教徒（西欧）の匂いのするものは許せないのだ。

こうしたイフワーンのことである。国外でも乱暴狼藉をやめなかった。シーア派の聖地ナジャフ（在イラク）を落とした時のことだ。金銀財宝はむろんのこと、ありとあらゆる物を略奪しモスクを破壊し、意気揚々と引き上げた。

もとより、思想的にも厳しかった。中でも、東部地区（マンティカ・シャルキーヤ）での統治は厳しかった。当地がシーア派居住地区であったからだ。イブン・サウードの側近である鬼のジルウィーが派遣されるや、ワッハーブ派への強制改宗をはじめとするすさまじい弾圧が始まった。それが「シーア派涙の受難」と呼ばれるものだ。

その圧巻がマディーナにある預言者廟の破懐である。廟への信徒の参詣が偶像崇拝に当たるというのだ。さすがにこれは未遂に終わるが、まさに破壊カルトの面目躍如だ。

そのイフワーンの進撃が止まるのが、クウェイト国境でのイギリス飛行中隊から受けた空爆だった。彼らは宗教的熱狂ではどうにもならない現実をこの時初めて知らされた。

以上の歴史的経緯から、サウジは以下の三つの国是を持っていることがよく分かる。

一つ目はサウジの国教たるワッハーブ派以外のイスラム解釈を断じて認めないことである。これは、タウヒード（神の唯一性）というスローガンで表されるが、具体的には異端と見なした他宗派（サウジならイスラム神秘主義やシーア派）への徹底した弾圧である。当時のサウジは実質的な鎖国状態であったことから、異教徒（主としてキリスト教徒）との接触がほとんどなく身近に敵対する者と言えば他宗派であったため、よけいにシーア派等への迫害が激化した。

二つ目は、ジハードによる宣教である。サウジは、その成り立ちからイスラム教（ワッハーブ派）のプロパガンダを国是として成立した。事実、このジハードにより、東西南北の敵対勢力を打倒して現在の王国を建国させた。その後、武装ジハードは国際情勢等により阻止されていったものの、思想的プロパガンダは一貫して継続し、膨大な石油収入を活用しつつ、ワッハーブ派の宣教を積極的に進めている。

三つ目は、勧善懲悪の実施である。この役割は主として宗教警察が担っているが、勧善懲悪の名の下に支配下の住民は苛烈な宗教支配を強いられた。

例えば女性は、家に隔離されて出られない。したがって、一人旅はまったくできない。最近ようやく許可されたが、運転免許も得られなかった。そもそも、公の場で顔を見せることがはばかれる。公共の活動も制限される。かつては映画館も、劇場も、娯楽場も何もなく、写真を撮るのもタバコを吸うのも御法度だった。見つかるとただちにカメラは召し上げられタバコははたき落とされた。驚くことに、どの国でも棲息するヤクザさえ見当たらない。せいぜい楽しめるものと言えば喫茶店でのダベリくらいだ。

ちなみに、かの礼拝でも、さぼろうとする者がいたならば、宗教警察の面々がそのカスラーン（怠け者）を鞭をもって脅し上げる。まるで羊の群れを追い立てる牧童のようにモスクへと追い立てる。

断食月（ラマダーン）になると、これがさらに嵩じてくる。ラマダーンでは、日の出から日の入りまで飲食が禁じられるが、そこはそれ、人間のことだから、隠れて水をカバガバ飲み、パンをたらふく喰い続ける猛者もいる。あるいは、旅人は断食の免除が得られるため、ラマダーンになるたびに旅行に出る者が続出する。問題はそれがバレた時のことである。イスラム国では、その当事者を殴り殺した例がある。むろん、殺しや盗みに容赦はない。ただちに、ハッド刑（イスラム法の規定する固定刑）による斬首斬手が待っている。

彼らの勧善懲悪が実施されればこのようになるのである。

アフガニスタンのタリバンによるイスラム支配（勧善懲悪省の設置等）も、そのあまりの苛烈さに多くの物議をかもしたが、その元凶はすでにサウジアラビアで実証済みのものだった。

その後、サウジはイブン・サウードがイフワーンを粛清しその宗教的熱狂を中和したため、かろうじて国家的体裁を繕うことが可能になったが、それでも武装カルトが建国した名残りは今なお多数残っている。

それは、サウジがスンニー派原理主義運動を軍事的経済的に支援し続け、時には自らも隣国（バハレインやイエメン）へ軍事介入していることからもよく分かる。ちなみに、イエメンでの誤爆を国連から批判されたサウジ政府は「そうした批判を続けるならば『国連の存在が反イスラム的だ』とのファトワー（法的判断）を出す」と脅し付け、それを撤回させたことがある。イスラム原理主義支配が成立すれば、皆このようになるのである。

3　彼らは女性問題と食物規定で蜂起した

時はイスラム暦一四〇〇年元旦（西暦一九七九年一一月二〇日）のことである。この日、数百名の集団が武装蜂起し、マスジド・アル・ハラーム（メッカのカアバ聖殿を囲む聖モスク）を占拠した。彼らは棺に隠し持った武器を取り出すと、そこに居合わせた巡礼者を楯に取り、二週間にわたり鎮圧部隊と矛を交えた。これ以後、イスラム教の最も神聖な聖域が流血にまみれることになる。

しかし、それにも増して驚いたのは、彼らがテレビ・ラジオ、女性の教育や労働の厳禁、冷凍肉やチーズの輸入禁止を求めていたことである。率直に言って驚いた。なぜ、そんな程度で蜂起しなければならないのか。

むろん、彼らとて、それだけのことで蜂起したのではない。当時のサウード家は、膨大な石油収入を背景に贅の限りを尽くしていた。貧者を踏みつけ、賄賂をかすめ、その特権をかさに着てありとあらゆる社会規範を破っていた。したがって、これに激しく反発した原理主義が蜂起するのも十分分かる。にもかかわらず、その蜂起の目的に女性や食い物の話が語られることに強い奇異を感じるのだ。

私はこの時、たびたび言い争ってきた原理主義者の言葉を思い出した。

「お前はイスラム教が分かっていない。食い物に対するシャリーヤ（イスラム法）の遵守がいかに重要なことであるかを。また女性に対する解釈が場合によっては反体制になることを。われわれはこれらを語ることにより、実は石油等経済の問題やイスラム革命の在り方を語ろうとしているのだ」と。

一見不思議な論理であったが、考えてみると正論だった。聖俗一致のイスラム教にあっては、このような結果になるのである。

「ああ、これがイスラム教というものか」と改めて思い知った。

そして、これが現実となったものこそ、マスジド・アル・ハラームの占拠事件であったのだ。

私はあらゆる問題が宗教とリンクするイスラム教の不思議さに思い至った。それは、イスラム法が下部構造を形成し、その上にありとあらゆる問題が聳え立つ壮大な社会システムであったのだ。

4　タリバンの復活

現在アフガニスタンを支配するタリバンは、パキスタンのマドラサ（イスラム学校）出身のメンバーで創設された（一九九四年）。その後、パキスタン統合情報部等の支援を受け、瞬く間に勢力を拡大し、政権を掌握した。その支配は、イスラム法に基づき行われたが、人権の蹂躙がはなはだしく、とりわけ女性への抑圧は世界中の批判を受けることになってゆく。

ざっと挙げても、まずは女性の就学が禁じられた。就労が禁じられた。そもそも、顔出しや一人歩きが禁じられた。大変なのは女医が追放されたため、病院に行っても満足に診てもらえなかったことである。男性と対面し、肌を見せる事がタブーであったからである。ただ、穴の開いたカーテン越しに問診を受けるだけが許された。

なぜ、これほど女性抑圧に走るのかはタリバンの出生に関係する。まず、タリバンに参加した若者は内戦のため、隣国パキスタンの難民キャンプに収容された。さらには、その後のマドラサ生活のこともあり、女性と接する機会が全くなかった。そのため、女性をどのように扱っていいのか分からなかった。ちなみに、どんな原理主義者でも、身近に女性は存在するため、女性の何たるかを身をもって知っているが、彼らにはその機会が皆無だった。その結果彼らが唯一頼ったのがイスラム法であった。これを適用する事で、女性に対応しようとしたのである。その結果が、稀に見る女性の隔離につながった（アハメド・ラシッド『タリバン』坂井定雄・伊藤力司訳、講談社）。

むろん、男の方も無事では済まなかった。あご鬚をはやさなければならなかった。長髪は西欧風だということで有無を言わさず切り落とされた。映画館は閉鎖され、テレビも写真も禁止された。演劇・文学・音楽も全面禁止。スポーツ観戦も「アッラーフ・アクバル（神は偉大なり）」との掛け声だけが許された。むろん、アルコールや同性愛については言わずもがなことである。

だが、これだけなら、まだしも文化的批判で済んだろう。致命的だったのは、二〇〇一年のアメリカ同時多発テロの首謀者たるビン・ラーディンの引き渡しを拒んだことだ。

激怒したアメリカは、タジク人、ウズベク人、ハザラ人などにより結成された北部同盟を支援して、タリバン（パシュトゥーン人主体）一掃に踏み切った。

その後の経過は周知の通りだ。ダラダラしたゲリラ戦が継続し、実に二〇年にもわたる戦闘が行われた。

その間、最も大きかったのはアメリカがイラク攻撃に踏み切ったことである。そのため、軍事資源をイラクに割り振り、せっかく抑え込んでいたタリバンが息を吹き返す結果となった。しかも、イラク・バース党政権は倒したものの、その後に起きた大混乱でイスラム国が誕生し、その対応に勢力を削がれることになってゆく。

その結果が、タリバンの勝利とアメリカ軍の撤退である（二〇二一年）。

ちなみに、アメリカの敗戦には、幾つかの戦略的ミスがあった。

その最大のものは、国民のいないアフガニスタンを国民国家として扱っていたことだ。そのため、形だけのアフガン国家に膨大な支援を行い、実質はカブール州政府に過ぎない政権を支えることになってしまった。そもそも、付け焼刃で立ち上げたアフガン軍の編制自身が間違っていた。これは、国民のいないところに国民軍（国軍）を創ろうとしたまったく無意味な試みだった。したがって、彼らに国家へのロイヤリティー（忠誠）はほとんどなく、士気の面ではイスラム原理主義をアイデンティティーとするタリバンにはなはだ劣っていた。もし、軍を強化したいのなら部族編制にでもして士気を高めなければならなかった。それならば、少しは勇敢に戦えただろう。

かくして、バイデン政権下における米軍の撤退が行われたが、その時にも幾つものミスを繰り返した。

これはワシントン・ポストがすっぱ抜いた情報だが、「タリバンはカブールの治安維持を当面アメリカに申し出ていた」という。一見不思議な提案だが、その真意は「日本を含む欧米諸国に留まってほしいとの思いがあった」からだ。戦後の政権運営には中露の支援だけではとうてい無理で、欧米諸国の経済援助が必須だとの認識を持っていたものと思われる。それがおそらく正しいのは「日本人の身の安全は保証するので、出国は止めてほしい」と日本側に通告していたことである。

ところが、この提案をアメリカ側が蹴ってしまった。バイデン政権は撤退に固執し、大混乱を呈してしまった。それが米軍撤退の経緯である。

ちなみに、この間のプロセスは隣国パキスタンの状況とも連動していた。具体的には、パキスタン・タリバン運動（ジャマートゥル・アフラル）である。

これは、アフガンのタリバンを支持する三〇ほどの部族連合組織であるが、二〇〇二年に行われたパキスタン軍の掃討戦（パキスタン部族地域に逃げ込んだアル・カーイダ傘下のアラブ人等への掃討）を契機にし、かつ当時のタリバン最高指導者ムハンマド・オマルからの要請を受け、二〇〇七年に結成された経緯がある。以後彼らは、パキスタン軍や治安機関（警察）に繰り返しテロ攻撃をかけ続け、二〇一二年には女子教育普及に尽力していた少女マララ・ユフスザイ（一九九七年生。二〇一四年にノーベル平和賞受賞）を銃撃したことでも知られている。これはさすがに他の原理主義者からも批判を受けたが、その時の反論が何とも言えない。

「女が教育を受けることは死に値する」と。

アフガンのタリバンは政権を掌握後、その過激度をいささか抑えているようだが、その盟友のパキスタン・タリバン運動は今なお思い切り跳ね上がり、テロ活動を続けている。またそこに、ホラサン・イスラム国（ISアフガン支部）が加わって、タリバン政権を「イスラムを裏切った日和見主義」と糾弾し、テロの標的となしている。かくして、当地は未だ不安定なままであり、それが当地の混乱に拍車をかける状態になっている。

では、今後のアフガニスタンはどうなるのか。

最も考えられるのは、かつてのタリバン支配に戻ることだ。すでに、ミュージシャンやコメディアンの殺害が報告され、女性の隔離やタリバン兵士との強制結婚がなされている。かの悪名高い勧善懲悪省（宗教警察）も再建された。

これは、イスラム原理主義政権が必ず設ける省であるが、第一次タリバン政権の折にもサウジのアドバイスを受けて創られた経緯がある。その結果が右に記したものとなる。

私もサウジに滞在中、この宗教警察の所行を見ているが、うっとうしいこと限りがない。正義を行っているとの思いがあるため、余計に始末が悪い。礼拝時にマスジド（モスク）に行こうとしない人々を鞭をもって追い立て、シャッターを閉めぬ店主らに罵声を浴びせと傍若無人に行動する。だが、建国直後はこんなものでは済まなかった。先に述べたハッド刑（斬手斬首等）が容赦なく適用されていたのである。

だが、この場合問題なのは、この間自由な空気を吸ったアフガン人がどの程度それを受容できるかということだ。また、タリバン側も、かつての支配の反省をどの程度総括でき、政権運営に生かせるかということだ。

そして、新たなスポンサーになるかもしれない中国との関係をどう結ぶかも問題となって来る。若干の予想をすると、短期的には中国の支援を必要とするタリバンは、ウイグル問題等に目をつぶり呉越同舟の関係を結ぶであろうが、中国との相性はアメリカとのそれよりもはるかに悪い。アメリカが少なくとも、一神教の在り方を知悉しているのに対し、中国はそれを全く知らないからだ。いや、知らないどころか、ウイグル人問題に見られるように思想的相性はきわめて悪い。日常的な食文化・性文化等も大いに異なる。

中国のアフガン進出（政治経済社会文化的進出）が拡大すれば、その軋轢は否応なく表面化するであろう。その時はどうなるか。すでにホラサン・イスラム国は、中国のウイグル人ジェノサイドを激しく批判し、テロの標的と見なしている。

アフガンは帝国の墓場と言われて久しい。当地に介入する異教の帝国は、いずれも泥沼に足を取られ、ほうほうの体で撤退している。中国だけが例外になることはないであろう。

5　救世主を待ち望む国――イラン・イスラム共和国

一九七九年のことである。当時のイラン国王ムハンマド・レザー・シャー・パフレビー（パーレビ国王）が荒れ狂う反政府デモに追われるように出国し、それに代わって亡命先のフランスからルーホッラー・ホメイニがテヘランに降り立った。

イラン・イスラム革命の誕生である。

その後、イランの革命政府は左派勢力（フェダイヤーネ・ハルクやムジャーヒディーネ・ハルク）との内戦を経、バーレビ元国王の身柄引渡しを要求した米大使館人質事件によるアメリカとの抗争を経、対イラク戦争を戦う中で今にまで至っている。

この間の熱狂がいかに熾烈なものであったかは、デモの光景を見れば分かる。何せ圧倒的なのだ。百万にものぼる大衆が、轟々たる地鳴りにも似た響きの中、口々に絶叫している。

「アッラーフ・アクバル（神は偉大なり）」

「ホメイニ・ラフバル（ホメイニは指導者なり）」

そして、返す刀でアメリカ・イスラエルへの呪いを叫ぶ。

「アメリカに死を」

「イスラエルに死を」

イラン・イスラム革命は、このような熱狂のただ中で誕生していったのだ。


では、こうしたシーア派革命は、どのような教義を持ち、どのような史的経緯を経てきたのか。それを知るには、シーア派の誕生時まで遡らなければならない。

それは、今を去る一三〇〇年余り前のことである。ユーフラテス河畔のカルバラーの地を、とある小さな一行が彷徨っていた。ムハンマドの娘婿アリーの次男フセインの一行だ。

ムハンマドが「我が一族で最も愛しき者はハサンとフセインである」とした、かのフセインである。当時のイスラム世界にあり、彼以上の貴人はいない。そのフセイン一行が、ヤズィード軍（ウマイヤ朝第二代カリフの派遣軍）に行く手を阻まれ、行き所を失くしていた。

事ここに至っては、抗する術は何もなかった。フセインは殉教を覚悟して従者に告げる。

「我が行く手には殉教あるのみ。さすれば、去る者は去ればよい」

だが、陣営から去る者はなく、殉教覚悟でヤズィード軍から合流する戦士も現れた。

しかし、彼我の差はあまりに大きく、フセイン軍は奮戦及ばず玉砕する。と同時に、残された女たちは、串刺しにされた首級と共に初めにクーファ（現イラク）へ、次いでダマスカス（シリア）へと護送される（井筒俊彦『意味の深みへ』岩波書店）。

これが「カルバラーの悲劇」である。時にヒジュラ暦ムハッラム一〇日――シーア派は、カルバラーの悲劇にちなみ、この日をアーシューラー（十日祭）と呼び習わし、身体を鞭打つ激しい苦行に身をやつす。

なぜか？　それは彼らがフセインをみすみす見殺しにしてしまったからだ。

彼らは、フセインに、ウマイヤ朝を打倒すべく蜂起するよう要請した。それは、ひっきりなしの伝令と懇願による要請だった。初めは拒否していたフセインも、その熱意にほだされ立ち上がることを決意する。ところが、それが失敗した。ヤズィード軍が拠点であるクーファを制圧したために、取り残されたフセインは行き所を失った。後は殉教を待つのみである。

かくして、彼らは己を責めた。フセイン虐殺の黙認者として激しく責めた。初期シーア派が

「タッワーブーン（後悔者）」と呼ばれるのはこのことがあるからだ。

その悲痛な思いは未だに語り継がれており、ターズイエと呼ばれるフセイン殉教物語となっている。日本で言えば、さしずめ琵琶法師が語る平家物語に似るかもしれない。ターズイエを聞く人々の悲哀は深い。その心は悲しみに震えている。物語が最高潮に達した時、得も言えぬ悲しみが込み上げる。

「フセインよ、おおフセインよ！」

人々は悲嘆にくれてその場に泣き伏す。かの鉄面皮のホメイニさえ涙したほどである。と同時に、この悔恨と悲しみは「次に同じ状況に出遭った場合は必ず立って、不義の為政者に立ち向かう」との強い決意を生んでゆく。シーア派が数多くの殉教者を出してゆくのはこのことがあるからだ。すなわち、シーア派は「内に後悔と自責の念を、外に強い殉教意識を持つ者」なのだ。


だが、シーア派はカルバラーの悲劇だけを教条とする者ではない。もう一つ特異な教義を持っている。それが「イマームの再臨（ルジューウ）」と呼ばれるものだ。

イマームとは、初代アリーから始まってその血筋を受け継いだ宗教指導者を指して言うが、その中の誰を正統なイマームとするかでさまざまな分派が生まれる。その中の最大宗派がイランの国教になっている十二イマーム派で、その名の通り、十二代にわたるイマーム系列を正統なものと考える。

では、なぜ十二であるのか？　それは十二代イマームのムハンマドが突然消息を絶ってしまい、そこでイマーム系列が断絶するからである。おそらく、ほとんどのイマームが暗殺された経緯から見て、彼も殺されたのだろう。

だが、ここで彼らは不思議な解釈を下してくる。十二代イマームは可視界（シャハーダ）から不可視界（ガイバ）へ移行したため、姿を消したというのである。これが「イマームのお隠れ」である。

したがって、シーア派にとり、イマーム無き世は漆黒に包まれた闇の世だ。そこには一条の光もない。だが、それは、いつしか十二代イマームが救世主（マハディー）として再臨してくる希望と表裏一体をなすものだった。彼がムハンマド・ムンタザル（待たれるべきムハンマド）と呼ばれるのはこのことがあるからだ。

シーア派とは、カルバラーの悲劇（誕生神話）と、イマームの再臨（未来神話）を併せ持つ特異な信仰集団なのだ。

ただ、ここで、一つの疑問が湧いてくる。

それは「イマーム無き現状をどう処理するか」という疑問である。実際、イマームがいつ再臨するかは分からない。だとすれば、その間誰がどのように社会や国家を統治するのか。

それに答えを出したのがホメイニである。

彼は、それをこう言い切った。「イマームが再臨するまでは、権威ある法学者が彼に代わって統治する」と。これが「ベラヤテ・ファアギ（法学者の統治）」と呼ばれるものだ（『ホメイニ　わが革命』共同通信社）。

イラン・イスラム共和国憲法は、このベラヤテ・ファアギを前提に創られたものである。

だがこれは、異教世界、とりわけ西欧世界に非常な戸惑いを与えてゆく。

何せ近現代の常識をまるで無視したところがある。イマームの再臨という夢物語を大真面目に語るのも、再臨までの国家支配を法学者に託すのも、それを周辺国に押し売りするのも（革命の輸出）、むやみやたらに殉教するのも、果ては他国の作家（『悪魔の詩』の著者＝イギリス国籍のサルマン・ラシュディー）に神と預言者（ムハンマド）への冒瀆罪として死刑判決を下すのも、全てが国際常識を無視している。

あれから四〇年余りを経ているため、国際社会も少しはこれに慣れたようだが、依然として違和感は残っている。イラン・イスラム共和国は救世主を待ち望む特異な国家なのである。

6　ヒジャブ問題による大規模デモ

ここで、イランの宗教支配に対する不満が一気に高まったヒジャブ・デモについて述べてみる。

ことの発端は、二〇二二年の九月に、道徳警察がクルド人女性マフサ・アニミを、ヒジャブの付け方が悪いとのことで拘束し、取り調べ中に死なせてしまったことによる。

おそらくは、暴力を含む過剰な追及が死を招いたものと思われる。

ヒジャブは、通常初潮を迎えた以降の女性が着用する義務を持つが（イランでは一九八三年に法律で義務化）、これが自由を巡る問題とバッティングしてしまい、問題の火種となることが多かった。

とりわけ、イランでは、かつてシャー（イラン国王）の時代に、ヒジャブ着用禁止令が出、女性の自由が謳歌されたことがあり、イスラム革命が起こったからとて、ただちにヒジャブ着用が義務付けられることはなかった。革命の熱気が一段落した近年では、公然とヒジャブを焼き捨て、それをＳＮＳで投稿した女性もある。

それが今回の場合も受け継がれ、デモ参加女性はヒジャブを脱ぎ捨て、髪を切り、男装をし、ヒジャブを燃やすなどして気勢を上げた。

そのスローガンは「生命・女性・自由」であり、アリ・ハメネイ（ホメイニを継ぐイラン最高指導者）のポスターを燃やすまでになっている。

この場合問題なのは、このヒジャブ着用云々が体制に不満を持つ人々の思いと連動したことである。これに危機感を覚えた体制側がしゃにむにデモ鎮圧を強行し、死刑判決を多発させ、その執行にまで及んでいる。

この世界では、女性問題は即政治問題と結びつくことが極めて多い。それがこのたびも起こったのだ。


では、なぜこれほどまでにヒジャブ問題がこじれるのか。

実は、このヒジャブの定義があいまいであることが、問題をこじらせる元凶となっている。そもそも、コーランの記述がそれをはっきり規定せず、次のように述べているだけである。

「慎み深く、眼を下げて、陰部は大事に守っておき、外部に出ている部分は仕方がないが、その他の美しいところは、人に見せないように」（コーラン24章31節、『コーラン（中）』井筒俊彦訳、岩波文庫）と。

これだと、どの程度身体を覆い隠せばいいのか分からない。したがって、スカーフでいいのか、顔だけ出すヒジャブでいいのか、顔全面を覆うニカブでなければならないのか分からない。一般的な解釈では、顔・手足・足元を除くすべてを、長くてゆるく透けて見えない衣服で覆うことになるのだが、それ以上の規定はない。

ただ、このことから分かることは、服はアウラ（他人に見せてはいけない身体の部分）を隠すために着るということだ。アウラをさらけ出すことは男を誘惑する行為となり、それは女性としてあるまじき振る舞いとなるのである。逆に言えば、女性解放の名目でヒジャブを脱げということは「恥部を曝け出せ」と同義語になってしまい、これは反イスラム的行為だということになる。

これを極端に解釈したのが原理主義者で、全身身体を覆った黒ずくめの女性しか承認せず、さらには全く寄せ付けない者もいる。女性そのものがアウラだからだ（飯山陽『エジプトの空の下』晶文社）。

だから、彼らにとっては「女性は子供を産み育てることに専念すべきで、教育を受けることも外で働くことも必要なく、家庭内で家事に勤しみ、夫や子供の世話をすることのみに存在意義がある」とする。したがって、その範囲を逸脱すると、テロの対象にさえなりかねない。パキスタンでは女性の教育を推奨したマララ・ユスフザイが銃撃され、イランでも右のスカーフ事件や女子高生らが毒物を盛られた事件（女子教育への警告）などはその象徴と言えるであろう。

その一方、そうした動きに調子を合わせ、黒ずくめの服装で身を覆い、身内の男やカリスマ的リーダーに服従する女性もいるのである。

女性の在り方に過敏に反応するイスラム世界は、その扱いをめぐり常に悶着が巻き起こり、政治問題化する契機となる。今回のヒジャブ問題は、そのことを代表する典型的な事例だと言えよう。

7　アメリカの制裁、イランのタコ足戦略

イランは、一九七九年のイスラム革命以来、アメリカ・イスラエルと対峙している。また、核兵器開発がムジャーヒディーネ・ハルク（反体制左翼組織）により暴かれて以来、アラブ諸国（とりわけサウジ等湾岸諸国）との緊張も高まって、戦争寸前になったことも度々あった。

では、イランはこれに、どのように対しているのか。

外交的には中国やロシアと接近し、軍事的には革命防衛隊を派遣して中東諸国のシーア派支援を行なう中で対抗しようと試みている。具体的には、イラクでの民兵支援、シリアでの政権支援（アサド支援）、レバノンでのヒズボラ支援、イエメンでのフーシー派支援、ガザ地区でのハマス支援（このハマスだけはスンニー派だが）等がそれに当たる。これが俗にオクトパス戦略と呼ばれるものだ。タコ足の如く八方に手を伸ばし、革命の輸出をしているからだ。

このオクトパス戦略は、イラン革命政府のエルサレム解放への道（イスラエル打倒による聖地エルサレムの解放）から始まった。具体的には、イラク・シリア・レバノン経由でエルサレムに向かうシーア派三日月地帯（シーア派ベルト）への革命の輸出である。

したがって、シーア派が多数を占める諸地域に工作を始めるわけだが、そこで眼を付けたのがイスラエルとの関係では隣国レバノン南部のシーア派組織や内戦中のイエメンだった。前者につ

いては、革命防衛隊を送り込んでヒズボラ（神の党）を建党させ、後者については、イエメン内戦に介入し、ザイド派（シーア派分派）が主流をなすフーシー派（正式名称はアンサール・アッラー）を支援することで、サウジを牽制する手駒として利用していったのだ。

この脅威はあなどりがたく、サウジやＵＡＥ（アラブ首長国連邦）はイエメンに介入して消耗を強いられ、フーシー派の発射するミサイルで首都を狙われ、イランからのドローンやミサイル攻撃では虎の子の石油基地を破壊されている。こうした事態はイスラエルも同様で、ハマスやヒズボラから執拗なミサイル攻撃を受け続け、戦闘状態に入った場合は、日に数千万回にものぼるサイバー攻撃を受けている。これ全て、その背後にはイランの革命防衛隊が控えている。

となれば、いずれはイラン本国と事を構える事になろう。タコ足を叩くのみでは限りがあるため、その頭を叩かなければならないからだ。とりわけ、イランの核開発が佳境に入った場合には、タコ頭への攻撃は必須となる。

これまでもイスラエルは、核開発に従事するイラン人科学者を連続して暗殺し、アメリカと共同開発したコンピュータ・ウイルスを送り付け核施設に大混乱をもたらした。

また、イラン本国への直接攻撃もやっており、イスファハンの核施設はドローン攻撃を受けている。

イスラエルはこうした際の発表は一切しないが、かつてイラクとシリアの核施設を二度破壊した前科がある。おそらく、かつてあったドローン攻撃もイスラエルのものと思われる。

では、イスラエル、あるいはアメリカが本格的にイランと事を構えた場合はどうなるか。

実は、アメリカが確実に勝つとは限らないのだ。

少し古くなるが、ペンタゴン（アメリカ国防総省）主催の机上演習「ミレニアム・チャレンジ2002」では、アメリカは完敗している。

イラン側を受けもった元海兵隊中将ポール・ヴァン・ライバーは、米戦闘機の目標となるイラン側の対空レーダーを全て止め、小型艇を使った自爆攻撃、対艦巡航ミサイル運用を効果的に駆使しながら作戦を遂行。米原子力空母、強襲揚陸艦など十数隻の艦船を撃沈・撃破。開戦二日目で勝利を収めた。その折の米戦死者は二万人。完敗である。

これに仰天したのがペンタゴンで、机上演習をただちに中止し、ライバーを外し、イラン側の対応を通常作戦に変更した後、再び演習を行った。むろん、二度目はアメリカの圧勝だったが、初戦の敗戦は秘匿して次戦の勝利のみ公表した。パールハーバー以来の大規模演習と銘打ったミレニアム・チャレンジだったが、まことに後味の悪い結果となって終了した。

このことから分かることは、ペルシア湾上の戦いが完全アウェイで、かつ偏狭な海域では米艦隊が機能せず、苦戦を強いられることを示している。

と同時にこの敗戦は、日本にとってもまことに由々しき事態であった。日本の原油は、その九割近くがペルシア湾からもたらされる。ここに重大な支障が及べば、ただちに日本に影響する。日本の経済が支障なく機能するには、常時スーパータンカーが日本に着岸していなければならない。それが途絶えるかもしれないのだ。加えてイランは、アメリカ、イスラエルのいずれかがイラン核施設を攻撃すれば、ホルムズ海峡の封鎖に言及している。現在、イラン危機が高まる中、ペルシア湾の動向は日本の死命に直結するおそるべき状況を呈している。

8　ハマスの暴発

さて、その反イスラエルの一翼を担っているハマスであるが、イスラエル領内に侵攻し、殺戮を尽くした後人質を取って引き揚げた（二〇二三年一〇月七日）。音楽祭を狙って侵攻したため、イスラエル人はもとより二〇か国以上の外国人が殺戮・人質になっている。これが、ハマスの狙いだったのであろう。イスラエルの9・11と評される所以である。

ただ、この状況を理解するには、ここに至るまでの経緯を知る必要があるだろう。まずハマスは一九二八年にエジプトで立ち上げられたイスラム原理主義組織イフワーン・ムスリミーン（ムスリム同胞団）のパレスチナ支部として開設された（一九八七年）。このイフワーンは、近代原理主義の老舗というべき組織であり、一時は百万を超える党員を持ち、イスラム国を樹立すべく活動していた。これに立ちはだかったのがナセル率いるアラブ・ナショナリスト政権である。当初、蜜月であった両組織は路線の違いから袂を分かち、遂には徹底的な弾圧を受けることになる。

この時登場したのが、同胞団のイデオローグ、サイイド・クトゥブ（一九〇六–一九六八）である。彼は獄中であまりに苛烈な同胞団員への弾圧を見るにつけ、「このようなムスリムに対する弾圧を加える者はもはやムスリムではなく、その時代もイスラム教立教前の無明時代（ジャーヒリーヤ）だ」と規定して、武装闘争による政府転覆をよしとする思想に到達した（サイイド・クトゥブ『イスラーム原理主義の道しるべ』岡島稔・座喜淳訳、第三書館）。

このクトゥブの思想はその後のイスラム過激派に絶大な影響を及ぼして、今にまで至っている。むろん、ハマスもその影響下にあり、武装闘争に至上の価値を置いている。

もう一つ、武装闘争を是とする思想がこの地にはある。

それがサアルと呼ばれる血の復讐の伝統で、社会の根底に脈々として流れている。パレスチナ側で言えば、それがイスラエルへの同害報復を呼び、さらなる惨劇を引き起こす要因となっている。今回のハマスの奇襲が民間人、しかも女性や子供への殺戮を引き起こしたのは、その端的な例である。

と同時に、このことが、イスラエルの大々的な反撃と重なって、非常な惨劇を生んでいる。イスラエルの歴史的恐怖を引き出してしまうからだ。周知のように、イスラエルは二〇〇〇年にわたるディアスポラ（離散）を経験し、近年では絶滅収容所での体験がこれに加わる。となれば、民族が生き延び、国家の生存を保つには、国際世論など一顧だにしないとの思いがある。「我々が絶滅の危機に瀕している時、国際世論など何の役にもたたなかった」とのぬぐえぬ過去があるからだ。それがアメリカの制止を振り切ってまで、過剰報復に出る要因となっている。

では、そうした状況下に置かれた当事者の事情はどうなっているのか。

まずはパレスチナ側の事情だが、この間の抵抗運動を代表してきたアッバース議長率いるパレスチナ自治政府がある。彼らはヨルダン川西岸地区で活動し、世界各国から最も多くの支持と認知を受けているが、その主流派たるファタハには往年の力はなく、民衆の支持も薄れている。もう一方がハマスに代表される原理主義組織で、ガザ地区を支配しつつイランやカタールから援助を受ける。

この両組織は、思想的にも政治的にも水と油の関係だが、一時は並存していたこともある。ところが、ガザ地区で優勢になったハマスが力ずくで自治政府側（ファタハ）を追放し、ガザの支配権を獲得してゆく。これが現在まで続いているハマスによるガザ支配の歴史である。

だから両者は犬猿の仲であり、イスラエルに対しても非常な違いを見せている。ファタハは武装闘争を取りやめて、対話による独立を求めており、対するハマスは武装闘争を至上とし、力によるイスラエル殲滅を唱えている。

この中間に、様々な組織や思想潮流があり、離合集散しているのがパレスチナ側の現状である。

一方のイスラエルも混乱を呈している。

もともと、「二人寄れば、三つの政党ができる」と称されるイスラエル社会である。大小さまざまな政党が乱立し、常に連立政権が続いている。

今はネタニヤフ首相が何とか挙国一致体制を敷いているが、彼自身贈収賄問題で裁判中の身の上で、極めて危うい政治的立場に置かれている。

さらに問題なのが、彼の連立政権に宗教政党が入っていることである。これが非常にやっかいなのだ。彼らは自らの宗教原理を振り回すため、妥協がきわめて難しい。だから、国際社会が非難し、イスラエルとPLO（パレスチナ解放機構）との間で結ばれたオスロ合意で決められたヨルダン川西岸の入植地拡大停止をまるで無視して拡大している。

この宗教原理主義が日本人には分からない。とりわけ、彼らが政治に関わり、ある種の空想的神学論を世俗世界に持ち込むセンスが分からない。

それがどれほど異常なのかは、究極の原理主義とも言えるナトレイ・カルタ（一九三八年設立）を見ればいい。彼らは政党活動にはタッチしないが、イスラエルが敵視するパレスチナ解放運動と連帯し、あろうことかイランにまでおもむいて当時の大統領アハマディネジャドとも会見している。「かのイスラエルを抹殺してしまえ」と繰り返して述べていた大統領と、である。

イランまで訪問し、イスラエルを抹殺すると公言する人物と会談するとはどういう神経なのであろう。

ではなぜ、彼らはこのような行動を取るのであろう。

それは聖書の解釈に依っている。それに依ると、イスラエル建国は真の預言者が出て、彼の下で建国がなされるべきで、現在の世俗主義者（シオニスト）が創ったイスラエルは無効だとするのである。だから、現イスラエルは似非国家で、これを支持する事はできず、あまつさえ解体しなければならないとの結論に達する。おそるべき思想である。

だから、今回のガザ紛争でも、パレスチナ人と連帯し、ユダヤ人デモ隊と鉢合うと「この裏切者、それでもユダヤ人か！」との罵声を浴びせられている。

日本人から見れば、まことに不思議な光景である。

この事から分かることは、イスラエル・ユダヤ人が、聖書を基本に置く精神と、世俗合理主義精神に分裂していることである。これが事あるごとに衝突し、前者が優勢になると入植地拡大など攻撃的な動きとなり、後者（少なくとも左派やリベラル）が優勢になるとアラブとの和平が論じられることになる。

もう一つ重要なファクターがある。それはイスラエル建国と同時に起きているナショナリズムとグローバリズムの分裂である。前者は、二〇〇〇年の長きにわたり流浪の民であったユダヤ人が建国を境にナショナリズムを持ったことに依っている。つまりは、ごく普通の国民国家の一員として自己主張し出したことだ。対する後者はディアスポラ・ユダヤ人（離散ユダヤ人）の伝統を継ぎ、世界中に広がるネットワークを駆使しながら生きてゆくユダヤ人の姿である。その典型がアメリカの金融業界を牛耳っているユダヤ人と見なされよう。

この二つの潮流は、同じユダヤ人でありながら時として衝突し、それが我々のユダヤ人像を混乱させ、同時に彼ら自身もそれに困惑しているようである。

現状のユダヤ人は、こうした分裂の最中にある。

9　ホームグロウン・テロの風景（フランスの場合）
――故郷を失くしたデラシネたち

昨今、ホームグロウン・テロが広く取り沙汰されている。シャルリー・エブド事件（二〇一五年にムハンマドの風刺画を掲載した新聞『シャルリー・エブド』の本社を武装集団が襲撃し、編集者らを殺害した事件）を手始めに幾多のホームグロウン・テロが起こっている。

では、なぜこのような事態になったのか。

ここではそれを「フランス（移民受け入れ側）対アルジェリア（移民排出側）の関係」を例に採り、述べてみることにしたい。

さて、ホームグロウン・テロにおいて欠かせないのは、他国からの経済移民だ。フランスで言えば、とりわけアルジェリア（かつてのフランス直轄領）からの移民である。

では、この移民はいつどのようにしてフランスにやってきたのか？

それは、第二次大戦直後の経済事情に依っている。

当時のフランスは、大戦による労働人口の減少とその後に起きた高度経済成長により極度の人手不足になっていた。とりわけ、建設現場と自動車産業には労働力が必要だった。それを補うために採ったのが経済移民政策で、これは本国で失業にあえいでいたアルジェリア人にも歓迎すべきことであった。

ここまでは同床異夢でありながら、蜜月状態が保たれた。

ところが、これがこじれてゆく。

経済移民は長引くと、必ず家族を呼び寄せる。あるいは結婚して家庭を持つ。

こうなれば、フランスで定住するしか術はない。

しかし、定住してハタと気付くと、強い疎外感を覚えてゆく。

まず職業は、いわゆる3K（きつい・汚い・危険）であるものがほとんどだ。次いで、居住環境も劣悪で差別も日常茶飯事だ。子弟の教育もままならず、高等教育には手が届かない。加えて文化的な疎外感も心をむしばむ。この意識は、なりふり構わず働いた移民の第一世代より二世・三世の方がより強い。むろん、今となっては本国に帰れない。つまり彼らは、故郷を失くしたデラシネ（根無し草）となっているのだ。そのため、ともすれば犯罪に手を染めて、より差別が厳しくなる。

以上が、移民の置かれている現状だ。

だが、ここまでのことであれば、まだホームグロウン・テロは発生しない。不満は潜在しているだけである。

しかし、アル・カーイダやイスラム国に見られるような過激派が台頭すればこの限りではない。彼らは、それに刺激され、心の奥に潜んでいた怨念を吐き出し始める。

その歴史的きっかけとなったのが、先に述べたアルジェリア総選挙でのイスラム救国戦線（イスラム原理主義政党）の勝利だった（一九八一年）。これに危機感を覚えたアルジェリア軍部がクーデタを敢行し、救国戦線を強制解散させてゆく。ここまで来ると、双方とも後には引けない。救国戦線の一部過激派がまず立ち上がり、アフガンからの帰還兵（アラブ・アフガーニー）と合流した。これが武装闘争に発展する。

アルジェリア人が「暗黒の一〇年」と呼ぶ内戦が始まったのだ。その災厄を避けるため逃げ込んだフランスでも内戦が持ちこされ、互いが互いを殺し合う内ゲバが始まった。首都パリに限ってもメトロ（地下鉄）やデパートが無差別テロ（爆弾テロ）に見舞われた。セーヌ川では正体不明の死体が連日浮かんだこともある。

この事態に呼応したのがホームグロウン・テロリストである。彼らは、この動乱に刺激されフランスで蜂起する。それは、治安機関を巻き込んだ凄惨な抗争に発展した。

その後、アルジェリア内戦も一息つき、フランス国内も落ち着きを取り戻したが、近年のイスラム過激派の活動で再び緊張が増している。とりわけ、フランスは人口の一割以上（六〇〇万人以上）がムスリムである関係でイスラム国への主要な戦闘員供給国になっている。

この両者の連動が、ホームグロウン・テロの温床なのだ。かのシャルリー・エブド事件も、こうしたイスラム世界の激動が逆流したものと考えられよう。

ちなみに、テロ志願者のパターンで多いのが映像による衝撃だ。

例えばここに、ホーム・グロウン・ムスリムがいたとする。

その最初のスタートは、自宅のパソコンやスマート・フォンから開始される。

コーランの朗唱が流される。ムスリム戦士が登場する。ＩＳの場合だと、同じフランス出身の戦士らが口々に戦場へ勧誘する。

心が躍る。高揚する。

ムスリムが抑圧される場面が写し出される。パレスチナで、シリアで、イラクで、アフガンで、エトセトラエトセトラ。

お前はこれを放っておくのか？　異教徒どもに蹂躙されるこの状況を見過ごすつもりか？　戦え、神のために殉教しろ！

再び画面が切り替わる。自動小銃を掲げた戦士がＩＳの旗の下で行進する。お前たちもこれに加われ、と。

これに、過激派モスクでのホトバ（法話）が加わる。

時にきわめて煽情的、時にきわめて論理的なホトバが垂れ流される。

むろん、その背後には、理路整然とした反体制ジハード論が控えている。

自国でのみじめな立場が、一転、神のために戦う至上の立場にジャンプする。

かくして、心高ぶった志願者は、片道切符を懐に戦場へと突進する。そして、そこで生き残り、戦争神経症になった者たちが自国に戻ってテロに走る。

これから分かることは、その背景にある幾多の理由、すなわち貧困、失業、疎外感だけではテロに至らないということだ。この場合だと、ＩＳが存在し、そのプロパゲーション（宣伝活動）に触発されなければ、テロリストにはまずならない。中東の混乱とホームグロウン・テロは互いに連動しているのだ。

もう一つ新たに生まれたことがある。これはイスラム学者の飯山陽氏がとみに強調することだが、俗人がＳＮＳの発達で、容易にイスラムの実相にアプローチでき、ウラマー（イスラム法学者）の介在なくしてその内容を知るようになったことがある（飯山陽『イスラム２・０』河出新書）。その結果、イスラム教の内実が、従来のウラマーの見解から大きく外れ、非常な戦闘性を有する事が明らかになってきた。具体的には、イスラム教の敵には非妥協的に戦わねばならず、それを蔑ろにしてはならないということだ。

かくして、若きジハーディストが、その教えに触発され殉教へと邁進する。

この場合、西欧社会の言論の自由がそれを大いに助長した。過激派の煽動者は、その自由を最大限利用してジハードを称賛する。シリアに行き、リビアに行き、アフガンに行って神のために戦えと煽り立てる。

これに危機感を覚えたのが、外ならぬイスラム諸国の支配者だ。「我々がせっかく過激派を抑えているのに西欧が彼らを野放しにしている。これでは過激派は取り締まれない」と。

これは、一面当たっている。過激派は、自らは自由を抑圧しながら、西欧の自由は享受してその勢力を広げているのだ。

ヨーロッパは今、イスラム世界の動乱と連動しながらテロ戦争の主戦場になりつつある。

10　アラブがイスラエルにコテンパンに負ける理由

一九四八年、二〇〇〇年の時を経てユダヤ人はイスラエルを建国した。

だが、それを契機に、その建国を認めない周辺アラブはイスラエルと四度の中東戦争を引き起こし、そのたびコテンパンにやられている。なぜあれほど優勢なアラブ諸国が小国イスラエルに負け続けるのか。一見不思議なようであるが、理由はある程度説明できる。

それは、アラブが近代化を実現できていないからである。

その最も簡単な指標が組織であり、時間に対する観念である。アラブは個人を社会の歯車とすることが未だできていない。その重要性も分からない。近代という時代はまことに没個性的な時代であり、社会の中の個々人に部品になることを要求する。また、時間についても、厳密なタイム・スケジュールに沿って動き、それから外れることを許さない。それを遂行するためには、自ら進んで個性を消し、時間に対するルーズさを抑制する必要があるのだが、アラブはそれが苦手なのだ。

それは、アラブ社会に身を置けばすぐさま分かる。

何せ、当地は時間にルーズなインシャッラー社会となっているため、タイム・スケジュールがまるで確立しないのだ。インシャッラーとは「神がお思し召しになれば」とのアラビア語で、「先のことは一切神が取りしきるので、人はそれに関知できない」とする通念である。

これでは、戦時の折には用をなさない。

むろん、戦時になれば軍隊は時間通りに動くだろうが、近代戦は社会全体の総力戦だ。社会の中に軍を支えるバックアップ・システムが無ければ近代戦は戦えない。これが近代化を果たしているイスラエルと格段に相違する。

まだある。アラブは、過剰に面子を重んじるため、事実を認めることがなかなかできない。一九六七年の六日戦争（第三次中東戦争）の時である。エジプトは自らが被った大敗を勝利だと言いくるめ、味方にひどい損害を与えてしまった。ラファエル・パタイ（人類学者）の『これがアラブだ』（脇山俊・脇山玲訳、PHP研究所）を見てみると、この間の様子がよく分かる。当時のナセル大統領（エジプト）は自らの面子を保つため、ヨルダン・フセイン国王（一九三五－一九九九）にその実情（大敗北）を告げなかった。それどころか、エジプト軍が反撃し、形勢が逆転しているとまで言い切った。

「イスラエル空軍は奇襲をかけてきたが、今われわれは断固反撃中である。よって貴国もイスラエルに宣戦布告」し、そして「共同コミュニケを発表することを強く勧めた」。

が、これは真っ赤な嘘だった。実はこの時、エジプト空軍はほぼ壊滅していたのである。この虚偽の報告は目の玉が飛び出るほど高く付いた。その結果、フセインは参戦し、大敗北を喫してしまった。そのため東エルサレムやヨルダン川西岸（ウェストバンク）は失われ、今に至るパレスチナ紛争の元凶を作ってしまった。

まだある。

アラブは、オーバーな誇張と威嚇を常とする。その中には、聞いている方が仰天するほどオーバーなものが多々あるが、それを平気で繰り返す。しかも、実際やる気のない言葉だけの威嚇を、である。こうした威嚇は、アラブ特有のカタルシス（精神浄化）に依っているが、この場合問題なのは、相手がそれをどう受け取るかだ。この場合で言えば、イスラエルの対応だ。

案の定、それを真に受けたイスラエルは、ただちに臨戦態勢を取り、先制防衛をかけてきた。

結果は今述べた通りである。

アラブは、完膚なきまでに破れ去った。

その習性は、未だぬぐいされないままである。

11 ISカリフ国の風景

イスラム過激派は、それまでテロ集団として総括され、その組織形態はネットワーク型とされてきた。したがって、重大な治安案件には位置づけられたが、政権を担うまでの能力はないとされた。

だが、イスラム国が出るに及び、この考えは一変した。彼らは、世界の過激派とつながるネットワーク組織であると同時に、領域国家を目指すまでになっていた。

が、むろん、単なる領域国家ではない。どの国も承認しないカルト国家だ。

それは、同じイスラム過激派が作ったアフガニスタンのタリバンと比べればよく分かる。タリバン政権もカルト国家と言うべきものだが、自らの領域を自国内に限定し、しかも他国からの承認も少ないながら獲得していた。パキスタン、サウジアラビア、アラブ首長国連邦の承認がそれである。

しかし、イスラム国の場合には、そうした承認がまったくない。いや、タリバンを認めたサウジでさえ、アメリカ主導の有志連合に加わってイスラム国爆撃に加わっている。

これをどう考えるか?

実は、それには根拠があり、イスラム国がアブー・バクル・バグダーディー（一九七一－二〇一九）をカリフに戴き、かつてのイスラム帝国の復活を夢見ているからである。これは誇大妄想としか言えない代物で、ムハンマドの血筋たるハーシム家の出自を持つヨルダン国王やモロッコ国王がカリフを名乗るならまだしも、バグダーディーごときが名乗るのはおこがましい限りである。したがって、大半のムスリムからは苦笑しか出ないわけだが、それでもカリフやイスラム帝国への追慕があるため、人々の胸を打つところが多々存在する。

もともと、イスラム世界にはダウラ（国家）という概念が希薄であった。このダウラは、イスラム帝国の下位政府で、その首長も皇帝の臣下たる並び国王程度の存在だった。とりわけ、アラブはその傾向が強くあり、彼らにとってのリアリティーは血縁組織かイスラム共同体（ウンマ・イスラーミーヤ）しかありえなかった。

この構造をイスラム国が掬い取り、後者の代表としてカリフを名乗り、その復興（イスラム共同体＝イスラム帝国の復興）を宣言しているのである。

となれば、どうなるか？

現在ある全ての国民国家は、すべからく州レベル・県レベルに降格し、その首長は国王であれ大統領であれ、カリフの命に服するだけの州知事・県知事となり果てる。また、既存国家が州レベルになれば、その国境は必然的に州境になり、人々の往来は自由となる。それを拒否する州が出れば、中央軍が派遣されるか、カリフの呼びかけで組織された連合軍をもって鎮圧の運びとなる。

問題は、その領域内に住む異教徒（あるいは異宗派）の扱いである。カリフが存在するということは、その領域がイスラム法によって支配されることになる。ところが、これが問題なのだ。

イスラム法は、異教徒を二流市民としか扱わない。異教徒は対等な権利を与えられず、イスラム支配を全面的に認めた上で、はじめて生存を許される存在となり果てる。

歴史的に言えば、イスラム法の許す範囲で生き延びるズィンミー（保護民）の存在や、徴税権と引き換えにかろうじて自治を認められたミッレト制度（宗教共同体制）を想起させる。

率直に言って、このような法体系は現代の人権感覚では認められない。

現代は、民族・人種・宗教の差別なく自由に生きる権利を持つ。それに反して、宗教による差別を公然と認める法体系など、認められようもないではないか。

断言する。もしカリフ制の復興などが行われれば、異教徒・異宗派にとっては悪夢とならざるをえないであろう。

では、現在の情勢はどうなのか？

ＩＳの存在は、イスラム諸国では全否定されているが、過激派レベルでは非常な歓迎を受けている。その結果、世界各地の過激派は、競うようにイスラム国シナイ州、イスラム国西アフリカ州、イスラム国リビア州、イスラム国何々州等々と宣言した。

カリフ国家の建国は非常なセンセーションを巻き起こしていったのだ。

一般に、ISの運動はサイクス・ピコ協定（第一次大戦中の一九一五年に、イギリス、フランス、ロシアが旧オスマン帝国領を分割した密約）で分断されたシリアとイラクの国境を無くすことから開始され、他のイスラム諸国の革命をも目指しているといわれる。

ここがタリバンと全く違う。繰り返すが、タリバンもイスラム国と同様に苛烈なイスラム統治を実行し、その首長もアミール・ル・ムーミニーンを名乗っていた。アミール・ル・ムーミニーンとはムスリムの長（司令官）の意味であるが、二代カリフ（オマル）が使っていたため、カリフと同意語のものと言える。実際、タリバンの指導者であったムハンマド・オマル（一九六〇-二〇一三）は、内部的にはカリフと呼ばれていたようである。

だが、タリバンは前述にもしたように、その統治範囲をアフガニスタンに限定し、みずからの体制を輸出することはしなかった。したがって、国家承認もわずかであるが、獲得することができたのだ。

しかし、イスラム国はその限定を取り払って成立した。また、イスラム過激派の常として、近い敵（既存のイスラム諸国）のみならず、遠い敵（欧米諸国）とも交戦している関係で、世界中で彼らの煽ったテロ行為が頻発している。そのため、欧米諸国はむろんのこと、タリバンを承認していたサウジでさえ、イスラム国に爆撃を加えている。

これでは、多少時間がかかっても滅び去るのは時間の問題であったと言えよう。ただ、次のことには留保すべきであろう。

イスラム国がとどめをさされても、イスラム・テロリズムは継続する。

イスラム過激派はネットワーク組織であるため、一つの組織が潰れても、その背後に無数の潜在的過激派が存在する。そもそも、イスラム自身がネットワーク組織であるため、ヒエラルヒーは作ろうにも作れない。

早い話が、ある者が信者になるにはカリマト・シャハーダ（アッラーの他に神はなく、ムハンマドはその預言者である）を唱えればそれでよく、しかもそれは単独自誓でも成立し、所属するモスクも教区もまったく要らない。

かくして、ムスリムと成った者は、統制の効かぬまま、自由に思惟し、自由に行動できる素地を持つ。これが、網の目状のアメーバ組織の基礎となり、アル・カーイダら過激派の背後には、一〇〇〇万から二〇〇〇万の支援者が存在している。

これが、実にやっかいなのだ。

しかも、ヒエラルヒーがないために、中央からの制御が効かない。そのため、小集団が思い切り跳ねあがる。その結果、休戦も終戦も成立せず、その都度その都度モグラ叩きを続けなければならなくなる。

欧米が戦っている相手とは、まったく違った世界観と組織形態を持つ相手なのだ。

12　日本人死亡――血塗られたサハラ

二〇一三年のことである。アルジェリア南部イナメナス近郊にある石油精製プラントを、ベル・モフタール（一九七二―二〇一五）をリーダーとする原理主義集団（イスラム聖戦士血盟団）が襲撃し占領した。その時、そこにいたアルジェリア人を含め多数の外国人技術者が人質になり、日本人は一七名中一〇人が死亡し、大変な惨事となった。

このベル・ムフタールは、それまでも幾多の誘拐・テロを繰り返し、またサハラ一帯の密輸ルートを掌握し、豊富な資金と武器を所有していた。その彼らが大々的な作戦に打って出たのだ。では、なぜこの時点で襲撃を行ったのか。

実は、その年の初めから、フランス軍がマリ政府の要請に基づいてベル・モフタールらイスラム過激派を掃討する作戦を行っていた。これをセルヴァル作戦と言う。したがって、セルヴァル作戦の即時中止と、囚われている仲間の釈放が彼らの主たる要求だった。

しかし、ここに至るまでには複雑な経緯がある。

まず、彼らが勢力範囲としたマリ北部だが、ここはトアレグ族（北西アフリカのベルベル系遊牧民）の居住区で、中央政府からの独立運動が繰り返され、この時（都合四度目の蜂起）もアザワド解放全国運動の名の下に蜂起・挙兵を成していた。当時のトアレグの戦闘員はリビア内戦の傭兵だったこともあり、戦闘経験豊富にして多数の武器を所有していた。そこに原理主義者が協力・支援をする形で共闘し、併せて当地の政府軍があるいは寝返り、あるいは戦闘放棄をする中で撤退したため、マリの主要都市であるトンブクツーやガオまでが占領される事態となった。

では、なぜこれほど北部で蜂起がなされるのか。

それはこの地の国の在り方が、地理的に二分されていることに依っている。このマリ共和国も含め、スーダン・ベルトと称されるモーリタニア、マリ、ニジェール、チャド、スーダンは、ほぼ北緯二〇度を境にして、南北が全く違った環境にある。すなわち、北の乾燥地帯と南のサバンナ地帯、北の牧畜地帯と南の農耕地帯、北のアラブやトアレグの遊牧民と南のスーダン系定着民（黒人）と続き、これに宗教が加わることもある。北のイスラム教と南のキリスト教や土着宗教の対立がそれである。これら全く違った地理社会的環境が一つの国に合わさっているのである。トラブルが起こらない方が不思議であった。植民地支配（主として英仏）の悪弊（国境の線引き）が最も顕著に出た例である。

そのため、常に南北問題が持ち上がり、政争のもとになる。スーダン内戦が最も長く最も凄惨な例であるが、マリの場合もそうであった。

で、その北部の反乱に自軍だけでは持ちこたえられないと見たマリ政府は、旧宗主国たるフランスに軍事介入を要請し、ここにマリ軍とフランス軍が北部掃討を実施してゆく。

一方、当初は共闘していたトアレグと原理主義者は、主としてイスラム法の施行をめぐって対立し、ついには後者が前者を追放する形で主導権を握ってゆく。したがって、フランス軍と戦ったのは原理主義者であったのだが、それが劣勢を覆すべく起死回生の手段となったのが石油精製プラント襲撃であったのだ。

これがごく簡単な経緯であるが、そこで襲撃された日揮（石油プラント製造会社）の駐在員には降ってわいた災難だった。報道によると、プラントに突入した原理主義者は、真っ先に日本人の身柄を抑えようとしたようだが、かつてあったイスラム教徒の親日感はもはや原理主義の中では消えていた。日本は今、西欧とほぼ同列に見られ始めているのである。

13　イスラム原理主義を撃退する法——その1

イスラム過激派が世界中で荒れ狂っている。何せ、イスラム世界と接する文明圏は軒並みトラブルを頻発させ、テロに内乱にと振り回されている。アメリカがテロ戦争に、ヨーロッパがイスラム問題に、ロシアがチェチェン戦争に、バルカン半島がボスニア問題に、中国が東トルキスターン独立運動に、インドがカシミール紛争（対パキスタン紛争）に、イスラエルがパレスチナ問題に、エチオピアがソマリア出兵に、とそれこそ枚挙にいとまがない。これに、イスラム世界の域内紛争が加わって、一部文明史家に至ってはこれを第四次世界大戦（第三次は東西冷戦）と呼ぶまでになっている。

では、この状況をどう収めればいいのだろうか。

これは、はなはだ難しい問題だが、解決法がないわけではない。例えば、イスラム世界の女性に対する高等教育の推進がそれに当たる。

その理由ははっきりしている。イスラム原理主義（というよりかイスラム教そのもの）の最大の弱点が男女関係にあるからだ。

これは、少しでもイスラム教に接した者なら分かることだが、この社会は過剰な父系社会となっている。そのため女性は、社会の表舞台から締め出され、政治的経済的な決定から排除されたままである。これがあるから社会が片肺飛行になってしまい、極端なマッチョ志向がはびこるのだ。

事実、イスラム原理主義の中における女性の地位はきわめて、低い。「女などに何ができるか」といった態度がありありとうかがえる。それがさらに昂じると「女性そのものがアウラ（禁忌）だ」とまでになる。したがって、自爆テロでも女性が選ばれることはほとんど、ない。女性に殉教の栄誉を与えてなるものか、といった態度だ。

ということは、「女性の地位が高まれば、イスラム原理主義の社会的根拠が失われる」ということだ。それを直感的に知っているのであろう。イスラム原理主義者はいずれも女性教育に否定的だ。アフガンでもサウジでもイランでも、イスラム原理主義が政権を握った国では、すべからく女性抑圧的になる。「女性が社会に進出すれば、男に反抗的になり、家庭を顧みなくなり、性的不始末を頻発させ、一族の名誉を失わせ、ついには社会的混乱をまき散らすことになる」と固く思い込んでいる。アルジェリアの革命家にして作家のムールード・フェラウーン（一九一三―一九六二）に至っては「アラブは女性の膣に名誉を埋め込んでいる」と皮肉たっぷりに述べている。それが原理主義では、さらに増幅しているのだ。女性への対応は、彼らの逆鱗なのである。

ここまでくれば明らかである。彼らの力を削ごうと思えば、女性の地位向上が必須となる。そして、それを実現するには、女性の高等教育がぜひとも必要なのである。

そもそも、高等教育を受けた女性は、総じて晩婚になり、あるいは結婚を回避する。とりわけ、イスラム世界ではそれが顕著になるであろう。結婚が社会的墓場になることが自明だからだ。その結果、少子化が進行し、人口圧が減少し、社会の相対的安定がもたらされることになる。

「これがイスラム原理主義抑制の鍵となる」というのが、中長期的に見た社会的な処方箋だ。したがって、先進国の開発援助も、その線に沿って行われるのが妥当であろう。

つい最近までアメリカは、テロ戦争を宣言し、しゃにむにイスラム原理主義を抑え込みにかかっていたが、それには明らかな限界がある。短期的には有効でも、長くこの方法は取れないからだ。イスラム原理主義抑制の要諦には、女性の地位向上（高等教育化）がぜひとも必要なのである。

14 イスラム原理主義を撃退する法――その2

さて、どのような思想潮流にも天敵というべき集団が存在する。むろん、イスラム原理主義にも存在する。それがイスラム神秘主義（スーフィズム）である。スーフィズムは神への畏敬を基調とする禁欲主義から起こったが、やがて神への愛に転じてゆき、ついには神との一体化を実現する。その間の経過をたどってみると、次のようになる。

まず、スーフィズムの祖とされるのがバスラのハサン（ハサン・アル・バスリー 六四二―七二八）である。彼は世俗に背を向け、自らの罪を責めさいなんだ。その罪故にもたらされる最後の審判におののいた。コーランには、迫りくる終末のビジョンが描かれている。この世が裂け、ありとあらゆる存在が無に帰するその日、墓が暴かれ、すべての者がアッラーの前に引き出される。ハサンにはその光景がありありと描かれていたのであろう。

何と恐ろしいことであろう。そして、何と戦慄すべき光景であろう。

ハサンの顔には、終生笑顔が見られなかったという。

だが、そのハサンの門下から出た聖女ラービア（七二五頃―八〇一）は、神に対する畏怖の念を転換する。彼女は愛の人であった。熱烈な愛の人であった。それは「(彼女は）神を呼ぶのに『我が歓喜』『我がいのち』『恋しい人』というような表現を使い、常に神を憶い神に恋い焦がれて夜も殆ど睡眠をとることをせず、暁前僅か一、二時間だけを、正座したまま休息に当てた」（井筒俊彦『イスラーム思想史』）と言われるまでになっていた。そこには、もはや神に対する怖れの念は消えている。隔絶した神と人との距離は無く、今や神は「血管よりなお近い存在」になっていた。

恋しい人、一時も離れられぬ愛しい人――ラービアの胸には神に対する狂おしいほどの愛の炎が燃え盛る。それはまさに、恋人たちが愛の秘語を交わすよう。スーフィーたちは、こうした神との密かで熱烈な愛の言葉をムジャーナートと呼んでいる。ラービアの神への愛は、まさにムジャーナートを介しての恋しい人への愛の告白であったのだ。

だが、この段階では、神への愛は成就しない。それは、恋する主体（私）が未だ存在するからだ。私という架空の自我が神との間に介在し、神との合一を阻んでいるからに他ならない。神との恋を実らせるには、私を私たらしめる架空の自我、すなわち彼らの言うアナーニーヤ（私であること）を消滅させることが必須となる。それ故、スーフィー行者はさらに神の中へ自己を没入させてゆく。そしてある時、彼は自己を脱落させる。あれほど執拗にへばりつき、架空の私を成り立たせていたアナーニーヤが瞬間消えてなくなるのだ。

自己の消滅――これを彼らはファナーと呼ぶ。それは自己の意識が無になった状態。そして、ファナーは、無を意識する意識さえ脱落させてしまった瞬間に最終的に完成する。これをファナーのファナー（ファナー・アル・ファナー）と呼んでいる。

この時、彼の心にいきなり神が顕現する。私が無くなり、神が心一杯に現れる。「我に称えあれ（スブハーニー）」と初期スーフィーの代表者バスターミーは思わず叫んだ。「神に称えあれ（スブハーナッラー）」ではない。「我に称えあれ」と言ったのだ。

だが、それにしても神と我が同じであるとは！

こうしたファナーの状態は「スクル」と呼ばれ、そこで語られる言葉のことを「シャタハート」と呼んでいる。スクルとは人が酒に酔っぱらって酩酊している時の状態。したがって、シャタハートとは、酔った時に人が勝手に口走る酔言のことを指して言う。

かくして、神への怖れから始まった禁欲主義者の自我意識は、神に強烈な愛を告げる段階へと変わってゆき、ついにはファナーとなって成就した。彼らは、ここに神と結ばれることになったのだ。

以上が、ごく簡単なイスラム神秘主義の経過であるが、もしこれだけに終わるなら、どこの社会にも存在する神秘主義の一つでしかない。

だが、スーフィズムの場合には、それが徒党（タリーカ）を組んだことで、絶大な影響を与えてゆく。すなわち、イスラム世界に網の目状の組織を作ったタリーカは、商業活動を通して広まり、種々の奇跡や現世利益で圧倒的な人気を博す。これがどれほど強力なものであったかは、ヨーロッパ帝国主義の侵略に最後まで抵抗したのがタリーカであったことからも伺えよう。

ざっと挙げても、リビアのオマル・ムフタールの反乱（サヌーシー教団）、アルジェリアのアブドゥル・カーディルの反乱（カーデリー教団）、モロッコのアブドゥル・カリームのリーフ戦争、内陸部に進むとソマリアのサイード・アブドゥッラー・ハサンの反乱（サーヒリー教団）、スーダンのマフディーの反乱（サーマンニーヤ教団）等々がある。イスラム世界の為政者（スルターン）やウラマー（法学者）が帝国主義に何ら抵抗できずにいる中で、タリーカのみが頑強に抵抗していた。

が、近代も深まる頃、その力に陰りが出てくる。スーフィズムの持つ前近代的体質（迷信的体質等）が時代と合わなくなってきたのである。その間隙をぬって台頭したのがイスラム原理主義で、スーフィズムを前近代のシンボルととらえ、徹底して批判した。

その結果、スーフィズムをイスラム社会の表舞台から追い出すことに成功したが、大衆レベルでのタリーカは根強かった。事ある毎に原理主義と敵対し、犬猿の仲となっている。

それだけでも原理主義抑制に役立つわけだが、それに加えてスーフィズムは異文化との親和性が強かった。かつて中央アジアや中近東、さらにはインド亜大陸へイスラム教が広まったのはみなタリーカのおかげである。その伝統は今にまで生きており、アメリカに上陸したタリーカは問題を起こすことなくアメリカ社会に適応している。逆に言えば、タリーカが潰れた場合は危ないということだ。その典型がアフガニスタンで、ソビエトの侵攻で伝統社会が消滅した当地ではタリーカも消滅し、その空洞にイスラム原理主義が雪崩れ込んできたのである。

その結果、タリバンに見られる様な、攻撃的で凶暴な宗教原理主義の支配するところとなり、アフガン人は塗炭の苦しみを味わうことになってゆく。

それもこれも、タリーカが霧散して、イスラム原理主義を内から牽制・抑止する制御因子が無くなってしまったからだ。

これから見ても、イスラム世界と他文明の衝突を回避するには、タリーカの存在が不可欠であることがよく分かる。

近年、文明間対話が必要だと強調されるが、それにはイスラム世界の安定要素たる神秘主義との協調がぜひとも必要なものと思われる。

15　ジハード、さらにジハード――その1

ここでは、もはや世界語ともなったジハードについて述べてみる。

このジハードは奮闘・努力の意味もあるが、通常は聖戦を意味し、それがテロリズムと結びつき、もはやイスラム過激派の代名詞となっている。

では、その聖戦たるジハードは、どのような内容を持つものなのか？

それには、歴史的経緯から説明する必要があるであろう。

まず、イスラム教は、その世界観を次のように定義していた。

ダール・ル・イスラーム（イスラムの家＝イスラム世界）とダール・ル・ハルブ（戦争の家＝異教世界）の二つである。

この二つが戦闘状態になった時、次の可能性が生まれてくる。

(1)　異教徒がダール・ル・イスラームに侵攻してきた時

この時のジハードは老若男女全てのムスリムの義務（ファルド・アイン）となる。これを「防衛ジハード」と呼んでいる。

(2)　逆に、ムスリムがダール・ル・ハルブに侵攻する時

これは「攻撃ジハード」と呼称され、その宣言はカリフの専権事項とされていた。したがって、ジハードの乱発は制限され、参加したい者だけが加わることになっていた。

これが、前近代ジハードの最単純モデルである。

ところが、近年、これに「内なるジハード」とも言えるダール・ル・ハルブ内のジハードが頻発し、大混乱を呈している。すなわち、ムスリムがムスリムに対し、ジハードを仕掛ける状況が

出現したのだ。

その代表例が、イスラエルと平和協定を結んだサダト・元エジプト大統領（一九一八―一九八一）へのジハードである（一九七九年）。

この協定に激怒したイスラム過激派（ジハード団）がサダトの行為を反イスラムと断定し、タクフィール規定を適用したのだ。タクフィール規定とはイスラム教を背教した者に対する不信心者規定であるが、イスラム法では死刑であった。もともと、タクフィール規定は、ムスリムを自認している者には適用されず、しかも個人の問題に限定されていたために、政治社会的状況には適用されていなかった。だが、ジハード団はその慣例を無視する形で、政治的為政者にもタクフィール規定を適用し、自らのテロリズム（この場合はサダト暗殺）を合法化したのである。これを「為政者へのタクフィール」と呼んでいる。

この理論は、エジプトの原理主義組織ムスリム同胞団のイデオローグ＝サイイド・クトゥブ（一九〇六―一九六六）によってなされたものだが、その淵源はイブン・タイミーヤ（一二五八／一二六三―一三二八）と呼ばれる中世の思想家にまで遡る。イブン・タイミーヤの生きた時代は、おりしもモンゴルがアラブ世界に侵攻してきた時代であり、イスラム化したモンゴルが同胞たるムスリムを容赦なく攻撃・殺戮していた時代であった。

「これが果たしてムスリムの所業と言えるであろうか」――そのような疑念を持ったイブン・タイミーヤは、上辺だけの改宗を承認せず、モンゴルに対するジハードを宣言した。

ここに、ムスリムがムスリムを攻撃する歴史的根拠が誕生した。サイイド・クトゥブはそれを引き継ぎ、自らを弾圧するナセルのアラブ・ナショナリスト政権（世俗軍事政権）の支配する社会をジャーヒリーヤ（前イスラーム時代）と断定し、ジハードをもって倒すことを訴えたのだ。

その後、内なるジハードはさらに過激に進行し、今では世俗政権が採っている人定法への批判までが反体制運動（武装闘争）とリンクするまでになっている。イスラム集団の法学者オマル・アブドッラフマーン（一九三八−二〇一七）の理論がそうである。

曰く。「彼らは最も尊ぶべき神の法（イスラム法）をないがしろにし、それを人為的な、しかも西欧の法体系に変換している。そのようなムスタブディル（法改変者）を断じて許すな。打倒しろ！」と。

イスラム教の基盤は、法である。何をおいても法である。

したがって、法をないがしろにする所業は何にも増して批判の対象とされる。

この場合もそうであった。世俗政権の行う人定法の施行は、ジハードの対象となったのだ。

イブン・タイミーヤを起点とし、サイイド・クトゥブを経て発展したジハード論は、今やこのような段階に達している。しかも、このジハード論は「近い敵（イスラーム諸国の不信仰な為政者）の打倒を遠い敵（異教世界）より優先する（ムハンマド・ファラジュ理論）」に至っている。

イスラム世界がなぜあれほどの混乱に陥っているかは、こうした「内なるジハード」に依っている。

16　ジハード、さらにジハード──その2

だが、事態はこれで留まらなかった。さらに拡大解釈された「内なるジハード」が出現している。

何か？　それが「大衆に向けたタクフィール」（タクフィール・アル・ジュンフール）である。それを主導したアルジェリアのイスラム武装集団（ＧＩＡ）はこう宣言し、自らの行為を正当化していった。

「不義を行う政府に加担する大衆は不信心者である。また、それを傍観する大衆も不信心者である。よって彼らにもタクフィール規定が適応される。ジハードだ」と。

かくして、一九九〇年代のアルジェリアは内乱の巷となり、毎年一万人の犠牲者を出し、同じく一万人の出国者を出す大惨事に発展した。前述した通りである。

こうした一般大衆を敵とするジハードは他にも見られ、先ほど述べたサウジを挙げると、自らの宗派（ワッハーブ派）のみを正統とし、それ以外の宗派（イスラム神秘主義やシーア派）を異端としてジハードを展開している。そのため、異端撲滅が至る所に展開され、強権的な弾圧や強制改宗がまかり通った。

そして、アメリカに対する同時多発テロ。

これを実施したビン・ラーディンは、この攻撃型のジハードを自主参加型（ファルド・キファーヤ）から全員参加型（ファルド・アイン）に解釈変更を行った。そして、それを次のように宣言した。

「アメリカとその同盟国の国民を軍民問わず殺戮すること、これは全ムスリムの義務である」と。

彼によると、「グローバル化した世界では総力戦が基本となり、それ故米国に攻撃をかけた聖戦も防衛ジハード（全員参加型）であるべきだ」と言いたいのかもしれないが、遠くアメリカにまで遠征してテロを行っている現状は明らかな攻撃ジハード（自主参加型）であり、となれば彼のこの発言はジハード解釈の変更を意味するものとなっている。

かくして、「内に向けては為政者や大衆に、外に向けては全ムスリムがジハード参加の義務を負う聖戦至上主義」が誕生した。

以上の内容をまとめると、次のようになる。

(1)　異教徒に対するジハード。これは、古典的なジハードで主として西欧キリスト教世界に向けられたものである。

(2)　異端に対するジハード。これは、シーア派ないしはイスラム神秘主義者に向けられたもので、サウジ等で顕著に見られ、現在ではＩＳがこれを踏襲している。

(3) 内なるジハード。これは為政者や大衆に向けたもので、主として世俗政権との抗争において見受けられる。

われわれが眼にしているイスラム過激派のテロリズムとはこのようなジハード論に依っている。

17 アラブの春――その1

二〇一一年。この年をアラブは忘れることはないであろう。同年一月に始まった民主化革命は瞬く間にアラブ全土を席巻し、ベン・アリー（チュニジア大統領）を追放し、ムバーラク（エジプト大統領）を打倒し、カッザーフィ（リビア最高指導者）を死に追いやり、アブドッラー（サウジアラビア国王）を驚愕させ、アサド（シリア大統領）を追い詰め、サーレハ（イエメン大統領）を出国させてとどまるところを知らなかった。つまりは、全ての独裁政権が無名の民衆蜂起によって立ち往生してしまったのだ。

だが、ここに至るまでの歴史には伏線がある。第二次大戦だけに限っても、この地はすべからく独裁体制下にあった。それが王政であろうと共和制であろうと、宗教的であろうと世俗的であろうと、独裁制に変わりはなかった。

むろん、その底流ではレジスタンスの流れがあり、民主化の声があった。時には、独裁制の一角を切り崩したこともある。その典型を挙げれば、一九八一年のアルジェリアで起きたイスラム救国戦線の勝利がそれに当たる。この時救国戦線は民衆の圧倒的な支持を得て、総選挙で圧勝した。

だが、それもほんの束の間の出来事だった。宗教原理主義の台頭に怯えた体制側（アルジェリア国軍）がクーデタを決行し、総選挙を無効とした。それを見た西欧諸国はほっと胸をなでおろし、そのクーデタを黙認した。常には激しく批判するクーデタを、である。

これが当地の民主化を決定的に挫折に追い込む。

「力の裏付けのない運動は敗北する。ならば力の行使しか他にない。暴力による革命だ！」と。ちょうどこの時、折悪しくアフガンでソビエトと戦った義勇兵がアラブ諸国に戻って来た。彼らは大国ソビエトに勝利した高揚感と戦場生活で被った戦争神経症を患っていた。それが自らを受け入れない国家や社会への怒りとなり、イスラム革命を標榜する原理主義運動に参加してゆく。たちまち、アラブ全土は流血の巷と化してゆく。政府による力ずくの弾圧と原理主義者の報復が際限なく繰り返された。とりわけ、アルジェリアの場合は凄惨だった。ほぼ九〇年代を通じ、毎年一万人余りの死者を出し、大量の国外逃亡者を出してゆく。しかも、逃亡先のフランス（旧アルジェリアの宗主国）でも、体制側と反体制側が衝突し、これにフランスの治安機関や在仏ムスリム過激派が加わって、三つ巴四つ巴の暗闘が続いてゆく。

その頂点にあった事件が、一九九四年に起こったイスラム武装集団（ＧＩＡ）によるハイジャック闘争である。彼らはエール・フランス機を乗っ取って、パリ上空での爆破、ないしはエッフェル塔に突っ込ませようとしたのである。米同時多発テロの原型は、すでにこの時起こっていたのだ。

それもこれも、アラブ独裁政権の硬直化に依っている。体制への異議申し立ては、暴力でしかそれを表現する術がなかったのだ。

18　アラブの春――その2

一方この間、アラブの既存政党はみな骨抜きになっていた。エジプトを例に取っても、政党の許可制や立候補の資格審査を政府が握っている限り、まともな選挙ができない状態が続いていた。ましてや、憲法さえ持たないサウジアラビアやリビア、さらには非常事態宣言を続けているシリアに至ってはコメントするまでもない。

ところが、ここに、全く新たな情勢が誕生した。それこそ、名もない若者が、フェイスブックやツイッターの力を借り、不特定多数の民衆に民主化を呼びかけたのだ。これにより、チュニジア、エジプト両政府はたまらずに崩壊した。

これは、稀に見る革命だった。行き詰った野党の反政府運動を楽々と越えてゆき、しかも特定のイデオロギーや宗教から距離を置くまったく新たなものであった。こうした運動に付きものの、反米・反イスラエルのスローガンもほとんどなかった。運動の主体となった若者も、この地の反政府活動家に多く見られる権力志向を持たなかった。

要するに、「自由を求め、民主主義を確立する」との一点に絞られた運動なのだ。そこには右派や左派、宗教や世俗の垣根はない。いや、あることはあるのだが、自由と民主主義の熱気に当てられ、影に隠れて見えなかった。

この瞬間、アラブは独裁政権に抗する術を発見した。それを象徴する言葉が残っている。「アル・カーイダは、タフリール広場（デモ隊が埋め尽くしたカイロの中央広場）で葬られた」と。すなわち、力ずくの宗教原理主義に頼らなくとも民主化を実現できる手段を獲得したということだ。

この場合、アラブの社会運動は、宗教（イスラム教）の影響を何らかの形で受けてきた。たとえ、その運動が世俗的なものであっても、どこかで宗教的承認が必要とされてきた。それを担ってきた者こそ、ウラマー（イスラム法学者）であった。

ところが、この状況に変化が起きた。若者は、ウラマーの最重要の役割だったファトワー（法的判断）を相対化してしまい、気に入ったファトワーをネットで選び、あるいは自らのコーラン解釈をもって判断する挙に出始める。これを一部のイスラム学者は、西欧の宗教革命に倣い、イスラム・プロテスタンティズムと呼んでいる。

だが、この動きも、アラブの春とは違っていた。

西欧のプロテスタンティズムは、確かに聖書と直接向き合い、カトリックの牙城を切り崩したが、結果はさらに苛烈な宗教支配を引き出すことになってしまった。それはカルヴァン主義が支配した社会を見れば容易に分かろう。そこでは、窒息するほど厳格な宗教支配が貫徹している。プロテスタントが「神に串刺しされた者」と呼ばれるのはこのことがあるからだ。

だが、アラブの春はそれとは違った。確かに彼らはウラマーを飛び越すことでプロテスタント的な傾向を持っているが、それは宗教性を抜き去ることで達成されたものである。つまり、彼らは全体主義を予感させるあらゆる支配に反対したのだ。イデオロギーでも宗教でも。

ここに、アラブの春の原点が存在する。

だが、この運動は満足の行く結果を生まなかった。

そもそも、アラブの春を主導した若者は組織を持たず、政治経験もまったくなかった。あるのはただ「自由な社会を切望し、民主主義体制を構築する」との意識だけだ。だからこそ、多数の民衆の支持を得たのだ。

しかし、ここで問題が起きてくる。

では、そうした自由が実現できたらどうなるか、との問題だ。

その時眼にした状況は、混乱とアナーキーなものであった。長い抑圧が続いた国で、いきなり自由が与えられたらどうなるか。

人々は自由に酔う。そして、言いたいことを言い散らかし、やりたい放題をやり始める。それを取り締まる治安機関（警察等）も萎縮して用をなさない。だから、よけいにアナーキーが進行する。

加えて、それまで禁圧されてきた原理主義集団が表に浮上し、エジプトではイフワーン・ムスリミーン（ムスリム同胞団）が政権を奪取するまでになってしまった。彼らはアラブの春を利用して、その成果を簒奪し、その後の政権運営でも、しゃにむに国家のイスラム化を推し進めた。

これが民主化運動の行き着いた果てである。エジプト初の民主選挙がなされながらも、政権への反発が巻き起こり、ついには軍部のクーデタが起きたのはこのことに依っている。

したがって、エジプトのアラブの春は一周回って元の軍人政権に戻ったわけだが、その革命の記憶が残る限り、やはり大きな一歩を踏み出したと思われる。

19　ムスリムは西欧が大嫌い

イスラム世界と西欧世界は今文明間衝突の最中（さなか）にある。

両者はあらゆる場所で衝突し、単なるテロリズムの枠を超え、戦争の領域（テロ戦争）にまで突入している。

では、なぜこのような事態になったのか？

それが分からなければ、頻発するテロの淵源も分からないため、それを今から述べてみる。

さて、9・11、アメリカ同時多発テロが起こった時である。

日本のニュースではあまり取り上げられなかったが、アラブ・イスラム世界ではそれこそお祭り騒ぎの称賛があちこちで見受けられた。よくぞやった、というわけだ。

その結果、ビン・ラーディンは不動の英雄に祭り上げられ、息子に彼の名を付ける親が続出した。

要するに、心の中に潜んでいた西欧嫌いが一気に噴き出したと言えるであろう。

では、なぜこれほどまでに西欧を嫌うのか？

それには、歴史的経緯を振り返ってみなければならないだろう。

その際、まず挙げなければならないのが十字軍のエルサレム遠征である。

この第一回遠征は一〇九六年に開始され、一〇九九年にエルサレム占領を見ることになるのだが、それがすさまじい皆殺しを伴った。

十字軍の兵士たちは正義という言葉におどらされ、教会の敵に容赦なく襲いかかった。教皇グレゴリウスはこう断言した。「剣を抜かず敵を殺さぬものに呪いあれ」。歴史家であるアグレーのレーモンは、一〇九九年に十字軍がエルサレムでイスラム教徒やユダヤ人を虐殺する時の様子をこう語っている。「それはうっとりとするような光景だった。大勢のサラセン人

（イスラム教徒の呼称）が首をはねられた……矢で射ぬかれた者、塔から突き落とされた者、何日も拷問を受けたあげく、火あぶりにされた者もいた。通りには切断された頭や手首が積み重なっていた。馬に乗って町を歩けば、どこもかしこも人間と馬の死体ばかり。ソロモンの神殿をさまよう馬は、膝まで、いや鞍まで血に浸っていた。この地が異教徒の血で覆われることは、正義とも言うべきすばらしい天罰なのだ」

ビザンツ帝国の歴史家ニケタス・コニアデスはこう書いている。「肩に十字架の紋章をつけた男たちに比べれば、サラセン人でさえ情け深く親切に思えた」（ヘレン・エラーブ『キリスト教封印の世界史』杉村浩子訳、徳間書店）

この十字軍遠征はその後も二世紀にわたって続き、公式なものだけでも七度、私的なものも含めると無数の遠征が繰り返されることになる。

「フランク（ヨーロッパ人）が来た！」――この言葉にどれほど彼らが縮み上る思いをしたかは言及するに及ばない。

その結果、彼らの中には決定的なトラウマが刻印され、以下のような反西欧感情が横溢する。

このような敵に対しては、あらゆる敵対行為が、政治的、軍事的、あるいは石油戦略的であろうと、正当な報復となる。そして疑いもなく、この両世界の分裂は十字軍にさかのぼり、アラブは今日でもなおその意識の底で、これを一種の強姦（レイプ）のように受け止めている。（アミーン・マアルーフ『アラブから見た十字軍』牟田口義郎・新川雅子訳、ちくま文庫）

だが、ここで、一つ疑問が湧く。

アラブは何も西欧だけに侵略されたわけではない。

まずはモンゴルに攻め込まれ、アッバース朝の首都バグダードは完膚なきまでに蹂躙され、そのモスクはモンゴル騎兵の馬小屋にされ、コーランは焚火となって燃やされた。

アラブは、これを未だ事あるごとに口の端に乗せている。

次いでやってきたのが、トルコである。

トルコの侵略と征服期間は西欧のそれよりはるかに長く、エジプトを例に挙げると数百年にのぼっている。

ところが、モンゴルやトルコのことはさほど恨みに思わず、西欧への憎悪が抜きん出ているのだ。これをどう考えるか？

実は、モンゴルもトルコも征服者としてやってきたが、後にイスラム教に帰依したことから、異教徒の支配ではなくなっていた。

まだある。両者はともに西欧を窮地に追い詰める戦勝を重ねたため、イスラム世界の栄誉を際立たせることになる。とりわけ、オスマン・トルコの軍事的優位は長く続き、西欧はこれに押しまくられていたのである。

このイスラム教への帰依と戦勝がアラブの被征服者としての屈辱をやわらげた。対する西欧は、決してイスラム教に改宗せず、なかんずく植民地にまでしてしまった。

それだけではない。長らくイスラム世界が与えてきた文明的恩恵を忘却し、あたかも自力で西欧文明を築いたかのような顔をしている。つまり、師匠格のイスラム世界を弟子筋の西欧世界が足蹴にし、忘恩の限りを尽くしたということだ。

「何という恩知らずの民であるか！　お前らの宗教であるキリスト教さえわれわれが教えてやったというのに」――この感情が、アラブの対西欧感情の基本なのだ。

その結果、アラブの精神は分裂し、何が何でも西欧に一矢報いようとする思いと、今は相手が強いためここは少し我慢しておこうという思いに引き裂かれる。前者をイスラム過激派が代表し、後者をアラブ穏健派が代表する。

アラブが常に西欧へアンビバレンツな態度を取るのはこのことがあるからだ。

その一方、西欧側もイスラム世界の存在に怯えていた。無理もない。かつてカトリックの五大総主教府であるローマ、エルサレム、アンティオキア、アレクサンドリア、コンスタンチノープルの内、ローマを除くすべての総主教府はイスラム側に奪取され、残るローマも一四八〇年にはオスマン朝の征服王メフメト二世（一四三二―一四八一）の南イタリア上陸（ローラント上陸）で風前の灯になっていた。

「トルコが来た！」――彼らはこの一報に戦慄した。後一歩、オスマン軍が進軍すれば、ローマはその支配下に組み込まれ、サンピエトロ寺院は大モスクに改修されたことであろう。

結果は、メフメト二世の死去によりオスマン軍が撤退したが、その時ローマは祝砲を撃ち、これを祝った。彼らは愛すべき隣人の死を心から祝ったのだ。

20　国内の十字軍、異端審問、そして魔女狩り

実は、西欧世界は、右に記した十字軍派遣の他に、異端キリスト教徒（カタリ派）への十字軍（アルビジョワ十字軍）も行われていた（一三世紀）。

カタリ派の実態はよく分っていないが、霊肉二元論に基づき、闇の神（ヤハウェ）が創造した肉体に、光の神（イエス）が創造した魂が閉じ込められているとする。したがって、闇の世界から魂を解放するには禁欲的な修行や暮らしが必須となるが、それにはヤハウェやその代理人たる教皇を排斥する必要が生じてくる。この考えをカタリ派は宣教し、その勢力を伸ばしてきた。これは正統キリスト教（カトリック）にとり由々しき事態で、そのためカタリ派討伐の十字軍が結成されたが、これがエルサレム十字軍以上に凄惨で、そもそも殺しの論理が異常であった。それはカタリ派の拠点、南フランスのベジエを占拠した例を見れば分かる。いざ異端狩りに行おうにも、町には同胞のカトリック信者も存在し、人種的にも同じであるため誰がカタリ派か分からな

い。そこで兵士は大いに戸惑い、従軍していたシトー僧院長に尋ねるが、その答えが戦慄すべきものであった。「全員を殺し尽くせ。その判別は主があの世でなされるであろう」。

かくして、町中の老若男女がことごとく殺戮され、その後も血まみれの十字軍はなお虐殺を重ねながら南仏各地を転戦してゆく。

ちなみに、これより前から始まっていたのが、異端審問と、そののちそれと一体化してゆく魔女狩りだった。具体的には、ルキウス三世の教皇勅書（アド・アボレンダム）で公式の審問法が提示され（一一八四年）、インノケンティウス四世による拷問の承認と、それによる自白の強要へと進み、その結果を世俗領主が引き受けて実際の処刑が行われる手筈となった。

この拷問による異端審問は耐えがたく「いったん審問に付されるとイエスでさえ逃れられない」との厳しさをもって遂行された。

この審問は、新大陸やアジアでも行われるが、最も有名なのがスペインの審問である。これは、一五世紀末から本格的に始まるが、異端キリスト教徒だけでなく、改宗ユダヤ人（マッラーノ＝豚野郎）や改宗ムスリム（モスリコ）も標的にされてゆく。

ユダヤ教もイスラム教も、その基本信仰は律法遵守だ。したがって、安息日の存在や食生活（豚食や飲酒）の生活規範は、信者にとってはどうしても守らねばならないものだった。したがって、それを見咎められて密告されれば、言い逃れる事は難しい。

その極盛期（一五－一六世紀）を代表する審問官がスペインのドミニコ会士トルケマダ（一四二〇

一四六八）で、一人で一〇万件の審問を行ったと言う。そこで有罪となった者が送られるのが火刑（アウト・デ・フェ）である。

これがいかに戦慄すべきものだったかは、次の記述で容易に分かる。何せ、容疑者の自白を誘うため「縛り首にしてやるから白状しろ」が、最大の誘惑になったのだから。

実際、アウト・デ・フェは死以上の恐怖を誘った。とろ火で焼かれる苦しさは身の毛もよだつものだった。それを見た司祭の報告があるので、以下において記しておく（森島恒夫『魔女狩り』岩波新書）。

私はその経過を全部見届けました。……女の方は炎の中で半時間、男の方は一時間以上も生きていました……その男が焼かれながら嘆願する悲痛な声が長い間聞こえてきました。それは、もう少し薪を加えてくださいというだけの願いでしたが、その願いは聞き入れられませんでした。……その背中だけは完全に焼けましたので、彼が上体をよじらせると肋骨が現れました。……（ジョン・ウェルド『異端審問の歴史』一八一六年。森島、前掲より引用）。

右の例は魔女と見なされた者のものだが、その数が尋常ではない。実に九〇〇万にものぼるという（マルチド・ジョナサン・ケージやグスタフ・ロスコフ等の報告）。一人の自白が、芋づる式に周囲の人間を巻き込んで、魔女が仕立て上げられてゆくからだ。このアウト・デ・フェが制度的に廃止されるは、実に一九世紀を待たなければならなかった。

ちなみに、この異端審問とそれに伴うアウト・デ・フェは、キリスト教世界以外には見られない。イスラム世界でも、火刑になった者はいるが、それが主流とはならなかった。

この世界で最も苛烈で、未だ行われているのが「石打ち刑」である。不義密通を行った者へのハッド刑だ。タリバン支配下の例を見ると、数人の男が穴に落とされた女に対し石礫を投げ続け、その度に女が何とも言えない悲鳴を上げる。それは、当事者が死ぬまで延々と続けられる。

内に火刑と石打ち刑を持つ両世界は、外で激しく殺し合っていたことになる。

21　神々の争い――イスラム教のキリスト教批判

歴史的なイスラム教の反キリスト教感情を述べてみた。

今度は、イスラム教によるキリスト教神学への批判を述べてみる。

さて、一口にキリスト教と言っても、幾つかの思想潮流があるために、ここでは大多数の日本人が見知っているカトリックに絞って語ろう。とりわけ、キリスト教最大セクトであるカトリックは十字軍派遣以来イスラム教と犬猿の仲であるため、この両者を比較することで、その論争を眺めてみたい。

まず、最初に気付くのは、イスラム教から見たカトリックが一神教の前提を大きく逸脱していることである。

これは、カトリックが三位一体（トリニティー）をドグマ（教義）としていることに依っている。神が一体でありながら、父なる神と子なるキリストと聖霊の三つのペルソナを持つというドグマである。これについては、初期のキリスト教でも異論が噴出し、それに反対する対立セクトと論争し、彼らを異端として切り捨ててきた経緯がある。

この問題をイスラム側が取り挙げて唯一神に対する最大の冒瀆としてとらえたのだ。曰く。「何？　三位一体だと？　だったら、神が三人もいるではないか？　それで唯一絶対神を信じるなどよく言えたものだ！　そんな輩を認めるわけには断じていかない。異端だ！」と。

この批判は、非常に鋭いものとなっている。

そもそも、神とキリストと聖霊を信じれば三神教になってしまい、おまけにキリストの母であるマリア信仰まで認めれば四神教になってしまう。まだある。カトリックには守護聖人たる存在が無数にあり、これに熱心に祈りを捧げている現状を鑑みれば、まったくの多神教になってしまう。

理論的に言えば、答えようもない状態と言えよう（ただしカトリックではマリアや聖人に対する態度は「崇敬」であり、決して神に対するような「信仰」や「崇拝」ではないとは言っているが）。

これに対するイスラム教の答えがコーラン（一一二章）に載っている。

言え、彼はアッラー、唯一のお方である。アッラーは自存し、生まず生まれず、彼に比べうる何ものも存在しない。（『コーラン』一一二章）

要するに、「何者にも依らぬ全能の神が一人子を生み、しかも一介の女が生んだ等ということはまったくのでたらめだ」と述べているのだ。

イスラム教に言わせれば、イエスは預言者である人間で、しかもムハンマドが最終預言者である関係上、その立場はムハンマドの下位であると考える。

これが「タウヒード（神の絶対唯一性）」を自負するイスラム教のキリスト教批判の前提である。その問題が最も影響したのが、イスラム世界と隣接していたビザンツ帝国であった。ビザンツ帝国は七世紀、アラブからの侵攻を受け、一時は首都コンスタンチノープルを包囲された事もあり、非常な国難を迎えていた。だが、問題はそれだけではなく、ムスリムからの激しい論難を受けていた。

それがイコン（聖像）の存在で、「イエスやマリアを具象化することは偶像崇拝に当たる」と批判され、これに反論できなかった。そもそもモーセの十戒（偶像禁止）を基礎に置く限り、聖像を崇拝する事は異端である。その異端を激しく責められ、答えに窮していたのである。

そこで、ビザンツ帝国のレオン三世（六八五頃-七四一）は七二六年、イコンの全面禁止を発令し、抵抗する者は容赦なく罰してゆく。この運動をイコノクラスムと呼んでいる。その結果、国内はイコンをめぐって二分され内紛状態が出現する。結果は、イコノクラスムは廃止され元の状態に復元されるが（八四三年の聖像禁止令の撤廃）、依然としてイスラム側の追及は続いてゆく。三位一体とそれに伴う偶像崇拝は、キリスト教の在り方に大きな疑問を投げかけることになったのだ。

次にイスラム側が問題とするのは、キリスト教が「外面での律法遵守を放棄して内面での信仰に絞ったこと」である。

これは、一神教の原点を考えると、明らかな異端であるとイスラム側は言う。

それはそうであろう。キリスト教やイスラム教を生んだのはユダヤ教であるが、ユダヤ教の絶対規範は神の法（律法）にある。その律法をまったく無視して出来上がったのがキリスト教であり、これを異端と言わずして何を異端と言うのであろう——これがユダヤ教やイスラム教の立場である。

キリスト教は、それを「律法を内面化した（心に移し替えた）」と言い張るが、一神教の伝統から言えば、やはり異端と言わざるをえない。十数億も信者のいる宗教を異端と言うのも何であるが、思想的に絞って言えば伝統の逸脱と言えるであろう。

ここまで来れば、両者の溝は埋まらない。

キリスト教とイスラム教、さらにはユダヤ教も含める形で延々と批判し合う関係が続いて行った。それは、今に至るまで継続し、無数の流血を引き起こす元凶となってゆく。

われわれから見れば、まことにあこぎな神をめぐる言い争いと流血と言う他ない。

ちなみに、これはキリスト教内部にも言えることで、各派の争いがあまりにひどいため、オスマン朝がエルサレムを統治していた時代、キリスト教の聖墳墓教会の鍵を預かっていた事実がある。

22　宗教に見る思想構造
――ユダヤ教とキリスト教とイスラム教、そして仏教

一般に、ユダヤ教、キリスト教、イスラム教は神を同じくする三宗教とされている。だから、彼らに世界の三大宗教について聞くと、仏教は入れず、右の三宗教を上げてくる。

では、この三宗教はどのような構造をなしているのか？

まず、三者共通の聖典は、俗に『旧約聖書』と呼ばれるものだ。

ただ、旧約（神との旧い契約）とはあくまで便宜上の通称で、新約（神との新しい契約）を認めないユダヤ教にとっては、聖書はあくまで聖書であり、イスラム教も旧約とは一切呼ばない。

この場合、外面宗教であるユダヤ教とイスラム教は、聖書だけの運用では社会規範が決められないため、それを補う補助規範が必要となってくる。

ユダヤ教なら、律法学者によって解釈された「ミシュナ」（「反復」の意味で、口伝律法を文書化したもの）とミシュナに再解釈を加えた「ゲマラ」（「完成」の意味でミシュナを補完する）がそれに当たる。これらを文書化したものが「タルムード」と呼ばれるもので、全二〇巻にわたる膨大なものである。ちなみに、このタルムードには、パレスチナ・タルムードとバビロニア・タルムードがあり、通常は後者を指す。

一方、イスラム教も同様で、その法源は「コーラン」、「スンナ（ムハンマドの言行）」、「イジュマア（法学者による法的判断）」、「キヤース（三段論法による類推）」と続き、以下第十法源まで存在する。これによって、イスラム共同体の社会規範としているのである。

ところが、キリスト教は、こうした外面規範を全て破棄し、その信仰を内面（心の中）に移し替えた。とりわけ、教会の権威を否定して出来上がったプロテスタントは、聖書以外の権威を一切認めず、個人が聖書を通じて直接神と対峙する形式を取っている。彼らが「神に串刺しにされた者」と呼ばれたのはこのためである。

ただ、その教義（ドグマ）について見解が分かれた場合は、その都度公会議を開いて正当教義を決定し、それに反する宗教セクトは異端として追放された。もっとも、それには限度があり、プロテスタントを手始めに、今ではさまざまな諸宗派が入り乱れて存在している。

ちなみに、仏教はどうかと言うと、これは因果論で動いているため、悟り（結果）を目指そうとするならば、それに至る因（原因）を作らなければならない。それが「持戒」と「修行」である。俗にいう二百五十戒をしっかり守り、所定の修行を遂行するのが悟りに至る条件となる（ただし、それは、あくまで必要条件で十分条件ではないために、悟りに至るか否かについては保証の限りではないのだが）。

また仏教は、聖典を限定せず、キリスト教に見られる公会議も催さなかったため、正統教義が確定されず膨大な経典群とも相まって無数の思想潮流が出現してゆく。仏教史が「異端の勝利」と呼ばれるのはこのことがあるからだ。中でも、日本仏教は、末法思想を盾に取り、悟りに至る因果論さえ否定して、持戒と修行を全廃し、無戒律・無修行仏教になってゆく。それでも仏教として通用し、異端視されてはいないのだ。仏教が一神教ほど内部抗争や宗教戦争が起こらないのはことここに依っている。

23　宗教戦争を経たキリスト教、経ていないイスラム教

中東の現状をぐるりと見回す。

すると、至る所で内乱・動乱が勃発している。とりわけ、原理主義が台頭するに伴って、スンニー派とシーア派の宗派対立が頻発し、逐一いがみ合っている。宗教原理主義は自らの教義を絶対視し相手のそれを全否定するために、いったん衝突が始まれば容易に収まることはない。

それが顕著であるのがシリアやイラクの動乱で、国内勢力の衝突に諸外国が介入し、片やサウ

ジを盟主とする湾岸諸国がスンニー派（反政権側）を、イランを盟主とするシーア派が政権側を支援して、幾多の衝突を起こしている。

これにはむろん、サウジとイランの主導権争いも絡んでいるが、イスラム教が政教一致であるために、政治抗争は即宗教抗争と一致する。

かつて西欧はカトリックとプロテスタントの対立に代表される苛烈な宗教戦争を経験してきた。これがいかに激しかったかは、ドイツ三〇年戦争（一六一八―一六四八）が実に六分の五の市町村を消滅させ、人口の過半数を失わせたことからもよく分かる。それが、どうやらイスラム世界でも起ろうとしているのだ。

ここで問題なのが、イスラム教の宗教的性格である。イスラム教はキリスト教が行った「理性と信仰の分離（政治的には政教分離）」ができにくい体質を持っている。この理性と信仰の分離は重要なファクターで、これがなければ民主化の根幹たる「思想信条の自由（内面の自由）」が得られない。思想信条の自由は別名「悪魔の自由」と呼ばれるもので、例え悪魔（思想的敵対者）を信じようとも、ただそれだけで批判することはできないことになっている。

それが、イスラム教では確立できていないのだ。それどころか、悪魔は打ち滅ぼされなければならないとし、『サタニック・バーシズ（悪魔の詩）』を書いたイギリス人作家（サルマン・ラシュディー）に死刑宣言を出してみたり、その翻訳者（五十嵐一）を殺してみたりと常に物議をかもしている。また、イスラム世界内部（シリア・イラク等）でも、互いの支配地域でのテロ活動（自爆テロ等）を頻発させ、物理的抹殺を試みている。

悪魔の自由が無いことは、これほどの惨劇を生み出すのだ。

これを言うと、「ムスリムは異教徒を保護民（ズィンミー）として扱い、キリスト教のように迫害はしなかった」と言うだろうが、それは二流市民として保護してきたというだけで、対等な形で認めたわけでは決してない。

オスマン朝のミッレト制度がそれを端的に示しており、異教徒の宗教共同体（ミッラ）は徴税・徴兵義務を全うすることで、かろうじて自治が認められるものであった。そうした史的残滓は現代でも引き継がれ、原理主義国家たるサウジではムスリムと非ムスリムの差別は歴然として残っている。

以上のことから分かるのは、イスラム法が支配的な地域では、非ムスリムはその法支配を認める場合のみ生存が許される二流市民にならざるをえず、対等な立場に立てないということだ。

これは、現代社会を考える場合、致命的な欠陥である。

現代社会の基本的前提は、当該人物の思想信条にかかわらず、人は平等で対等な立場にあるとする。ところが、イスラム法はその前提を認めない。となれば、イスラム法支配下での人権が著しく損なわれることは自明である。

そもそもイスラム世界でさえ、雑多な宗教宗派が入り混じり、押し合いへし合いを続けている。一つの限られた解釈に基づく法体系（イスラム法）で平定すればどうなるかは言うまでもないであろう。

それは、スーダンの例を挙げれば、充分に理解できよう。

一九八三年のこと、北部のスーダン政府（ヌメイリ政権）が、イスラム法を全土に適用すると宣言したのをきっかけに、南部のキリスト教徒と土着宗教が叛乱し、二〇〇万にのぼる犠牲者を出すに及んだ（第二次スーダン内戦。現在南部は、南スーダン共和国として独立）。一つの思想宗教の強制（この場合はイスラム法至上主義）は、このような惨事を生むのである。

イスラム法至上主義を唱える原理主義が拡大する今、その情勢はさらに混沌を重ねてゆき、さらに多くの犠牲を出し、その果てにヘトヘトになったところで休戦となり、しぶしぶ相手を認めることになるであろう。ドイツ三〇年戦争があまりの惨状を前にして信仰の自由を認める契機（ウェストファリア条約）となった時のように。

イスラム世界は今、その惨状とその後におそらく来るであろう悪魔の自由の端緒に立っていると思われる。

24　一神教批判と反批判——その1

さて、ここで問題になるのが、一神教の思想構造である。これが解明されなければ、ジハード思想やイスラム過激派の問題は究明できない。

これは、さまざまな識者により考えられてきた課題だが、それを今少し考えてみたい。

ところで、日本と一神教世界では、歴史も文化も伝統も何もかもがまったく違う。見ているものがまるで違う――そんな感じだ。

では、どうしてそう感じるのか。

その解明には、どうしても一神教の思想そのものを検討する必要があるであろう。すなわち、キリスト教そのもの、イスラム教そのもの、ユダヤ教そのものの在り方である。その結果、必然的に起こるのは、その教義が元凶となり、現在の混迷を招いているのではないかという疑念である。

それを示す絶好の例があるので、まずはそれから紹介したい。哲学者の故・梅原猛氏の一神教批判である。氏は、三つの一神教（ユダヤ・キリスト・イスラム）の抗争を縷々述べた後、次のように断言した。

旧約聖書はすばらしいが、今一神教で今後人類がやっていけるかどうか厳しく問わなければならない。一神教は人間中心の思想を強く持ち、人間が他の生物に対して生殺与奪の権力をもつと考えている。この思想が科学技術文明を発展させたが、しかしこのような思想を持ち続ければ、地球環境は破壊され、人間は住むべき世界を失うのではないか。

また、一神教は自らを神の選民と考え、その神を崇めない者を徹底して憎み、絶滅させることさえ神自らが命じているかのように見える。このような思想は第三次世界大戦を引き起こし、人類を滅亡の危機においやるかもしれない。私は、一神教の聖典、旧約聖書、新約聖書及びコーランなどを人類の生存のためにあえて批判しなければならないと思っている。
(『信濃毎日新聞』二〇〇一年一一月一九日)

一神教に対する非常な懐疑に彩られた文面である。

これに対し、クリスチャン(カトリック)の曽野綾子氏が『大阪新聞』のコラム「自分の顔、相手の顔」四八九(二〇〇一年一二月五日)でまなじりを決して噛みついた(『批判』を批判する? これほど歪曲をするのか)。

私は中学生の時に、或る人の行為で、その人の信じる宗教そのものを批判することは避けなければならない、と教わった。梅原氏によると、一神教徒は人類の半分以上をしめるというから三〇億以上いることになる。その三〇億以上の人間の中で、破壊的行為をしているグループの行為をもって、人道的な仕事のために危険をおかして働いている多くの人々の存在まで否定することは、おかしなことである。あらゆる宗教にはあらゆる性格と立場の人がいて、いいことも悪いこともやっている、というだけの話だ。……

梅原氏はまたこうも書く。「一神教は自らを選民を考え、その神を崇めない者を徹底的に憎み、根絶させることさえ神自らが命じているように見える」

これは何を指すのだろうか。新約聖書はキリスト教が聖典と認めるものだが、その中にはこれに該当する思想は全くない。

「憐れみ深い人々は、幸いである、その人たちは憐れみを受ける」

「敵を愛し、自分を迫害する者のために祈りなさい」

「隣人を自分のように愛しなさい」

「友のために自分の命を捨てること、これ以上大きな愛はない」

「信仰と、希望と、愛、この三つは、いつまでも残る。その中で最も大いなるものは、愛である」

まだ引用を続ければ、いくらでもある。最も多くのキリスト教徒が、小心な自己保存の情熱のために、教えの通りにいきられないことを悩むのだが、恐らくは仏教徒にも同じ人間的苦悩を味わう人はいるだろう、と思う。そこに私たちは宗教を超えた人間共通の悲しみや支えを切望するのだ。

等々と述べた上で、梅原氏の言説を次のように切って捨てた。

「日本ペンクラブ会長で文化功労者であるという梅原氏が、資料をわざと無視するか、これほどに歪曲するということは、どういう理由か興味深いことである」と。

真っ向からの否定である。自己の信条（キリスト教）を否定されたことに対する弁明と批判者に対する反発がこれ以上なく現われている。

25 一神教批判と反批判――その2

だが、これは曽野氏の完全な護教論に他ならない。しかも、以下の二点において重大な過失を含んでいる。

一つは、思想の持つ社会的影響力である。

曽野氏は言う。

「個々の人間の行為と思想（宗教）は切り離すべきであり、どの宗教にも寛容な者と不寛容な者がいる」と。

この言葉は、思想の持つ社会性を軽視し、それを個々人の行為に還元している。しかも、キリスト教史はこうした愛の言葉とは裏腹の行為ばかりやっているではないか。正誤判断の基準は言葉ではなく、あくまでその集団が行った行動なのだ。

もう一つ致命的な誤りがある。

それは、梅原氏への中傷とも取れる最後の一文に潜んでいる。

曽野氏は言う。

「梅原氏は資料をわざと無視している」と。

「これほど歪曲するというのは、どういう理由か興味深い」と。

果たしてそうか？　本当に梅原氏は、資料を恣意的に解釈し、歪曲の限りを尽くしているのか？

答えは、むろん、否である。梅原氏の言ったことには、明確な根拠がある。

曽野氏が自らの信仰を必死に守ろうとする気持ちは理解できるが、その内実は自己に都合のいい教説をそのまま羅列しているだけに過ぎない。

では聞こう。キリスト教は『新約』と同時に『旧約』もその教えの基本とするが、そこに出てくる神の姿や歴史的展開は、まさに梅原氏の言う通りではなかったか。そもそも神は、自らの性格を「妬む神」「復讐する神」と言い募り、「万軍の主」と自称しているではないか。

マックス・ウェーバーの言うように、聖書に登場する神は戦闘神以外何ものでもない。曰く。

「我が妬む神であるから、我を憎む者には父の罪を報いて三、四代に及ぼす」（出エジプト記20：5）

「わたしの怒りは燃え立ち、つるぎをもって汝らを殺すであろう」（出エジプト記22：24）

「主はその民に向って怒りを発し、御手を述べて彼らを撃たれた。山は震え動き、その屍は巷の中で芥のようになった」（イザヤ書5：25）

この嫉妬する神、復讐する神の性格が最大限に投影された物語に「大洪水の物語」や「ソドムとゴモラの物語」がある。この時神は、人類の皆殺しを計画し、容赦なく実行した。

われわれ非信者から見れば、まことにあこぎな神である。そのあこぎな神は、梅原氏が言うように異教徒の撲滅にこれ以上なく踏み込んでいる。その典型がヨシュア記に書かれている大虐殺である。

その記述を要約すると、次のようになる。

「エリコの住民を皆殺しにした上で焼き尽くし、
アイの軍勢を挟撃して破った上で、その住民を殺し尽くし、
ギベオン郊外でアモリ人の五人の王をなぎ倒し、
メロムの泉で北ガラリアの王を打ち破り、
その後も歯向かう民をことごとく虐殺し略奪しながら、辺り一帯を席巻した」

まさに殺戮に次ぐ殺戮、破壊に次ぐ破壊である。その苛烈さは比類を見ない。しかも、それはヤハウェ（神）の神勅によってなされた聖戦なのだ。カナンにいた先住民は約束の地にいたというそれだけの理由をもって聖絶（宗教的ジェノサイド）にされたのだ。

ここに、「異教徒は対等な人ではなく、従って殺戮の対象となりうる」との基本テーゼが成立した。ここでは、「汝、殺すなかれ」とする十戒の教えは適応されない。それどころか、それらすべての虐殺は神の命じたことなのだ。

これらの町町の分捕り品と家畜はことごとく、イスラエルの人々が自分のために奪い取った。彼らはしかし、人間をことごとく剣にかけて撃って滅ぼし去り、息のある者は一人も残さなかった。（ヨシュア記11：14）

以後、一神教の歴史には、常にこのテーゼが出現する。実を言うと、ヨシュアの侵攻はこれほど素早くなされなかったというのが定説だが、問題はそれが及ぼす影響である。

それは、現代パレスチナ紛争にも影響し、「ヨシュア・コンプレックス」の名で呼ばれている。現代のヨシュアたちは、先住民（パレスチナ・アラブ）を虐げ、殺し、追放の限りを尽くしている。その結果が、いかなるものになったかは現状を見ればいい。イスラエル（ユダヤ人）に対するパレスチナ・ムスリムの反撃は後を絶たず、ここに一神教の暴力が他の一神教の暴力を誘発し、いつ果てるともない応酬を引き出している。

聖書由来の虐殺は、未だ続いているのである。

26　一神教批判と反批判——その3

ちなみに、クリスチャンは「イエスが出現することで、こうした神の激情（怒りや嫉妬）は愛に変わった」と言いたいのかもしれないが、それも史実に合致しない。

なるほど、キリスト教は「隣人への無償の愛や奉仕」を主張する。また、教え通りに人々を救ったキリスト者も確かにいる。われわれはインド貧民に奉仕したマザーテレサやナチスの絶滅収容所で身代わりになって死んだコルベ神父を通してその事を知っている。だが、その一方でクリスチャンが「異教徒への虐殺」を無数に繰り返したことも知っている。もし隣人愛をそれほど強調したいのなら、まずは旧約の神（ヤハウェ）による所業（殺戮と粛清）を自己否定する事から始めるべきだが、それをする事なく愛を強調したとしても、それは欺瞞というものだ。キリスト教の立場からは「それをやれば神の全面否定になるためできなかった」という事だろうが、それでは彼らの言う無限の愛は実現できない。

では、その結果はどうなったか。

キリスト教は「ユダヤ教を改革し、(1) 律法を廃棄して内面の信仰を基準とし、(2) その救済を異教徒にも適用した」とされているが、その愛を注ぐ対象は「隣人と認めた者（クリスチャン）のみに集中し、非隣人（異教徒）には適応せず人非人の扱いをした」ということだ。つまりは、ダブルスタンダードを取っていたということだ。

したがって、曽野氏の見解は、隣人への無償の愛のみを強調し、異教徒への虐殺を抑圧・隠蔽したことになる。

これは頭隠して尻隠さずの典型で、手前味噌な護教論に他ならない。非隣人とされた異教徒にしてみれば、まるで弁明にもなっていない。クリスチャンは、隣人と見なさなかった者（異教徒や異端者）については、清く正しく虐殺してきた。

梅原氏の言う「一神教は自らを神の選民と考え、その神を崇めない者を徹底して憎み、絶滅させることさえ神自らが命じているように見える」とは、このことを指した発言と考えられる。こうした宗教的概念（この場合は憎悪や虐殺）は、それを意識化するまでは反復強迫を繰り返し、信者並びにその集団の行動様式を呪縛する。事実、キリスト教の歴史を見れば、それが嫌と言うほど繰り返される。

知らないとは言わせない。

北米並びに中南米のインディオの皆殺しをやったのは誰であったか？

アフリカの奴隷貿易とその後の強制労働を容認したのは誰であったか？

丸々二世紀にわたる十字軍の遠征を敢行し、無辜の民を殺し続けたのは誰であったか？

ユダヤ人のポグロムやホロコーストに手を下し、あるいは協力したのは誰であったか？

異端狩りや魔女狩りを率先し、無数の殺戮をしたのは誰であったか？

一度かけられると、イエスでさえ逃れられないと言われた異端審問をやったのは誰であったか？

同胞間の壮絶な殺し合い（宗教戦争）をやったのは誰であったか？

ケルト人の神々を、その聖職者（ドルイド僧）もろとも殺したのは誰であったか？

皆、隣人を愛するクリスチャンではなかったか？

教会はそれに深く関係し、率先して煽ってきた。

なるほど、曽野氏の言う通り、『新約』には愛の言葉がちりばめられている。

だが、その言葉は歴史的事実とこれ以上なく背反する。キリスト史に見られる行為は、まさに言葉の正反対の連続だった。

キリスト教は神の愛を説きながら、人々を虐殺した。寛容を説きながら不寛容を実践した。それを否定したければ、次の文言をどう説明するのか？


主は、かつてあなたたちを幸いにして、人数を増やすことを喜ばれたように、今は滅ぼし絶やすことを喜ばれる。あなたたちは、あなたが入って行って得る土地から引き抜かれる。

（『申命記』28：63）


神は選民を愛しつつ激しく憎む。従って、人も神を愛し同時に憎む。

この愛憎の根源に、神が人に与えた原罪（死）がある事は容易に分かろう。両者の関係は当初から極めていびつだったのだ。それがどのようなものになったかは、ニーチェが鋭く指摘している。

「キリスト教は人に原罪を強いることで、最後の審判に怯える哀れな存在に成り果てた」

「(原罪のおかげで)この世の喜びは失せ、それをあの世に投影する弱者の嘆きになってしまった」

その結果、喜びを取り上げられ哀れな存在に成り果てた人間は神を憎む。その表層では神の愛を讃えながら、深層では激しい怨みを抱いている。とりわけヨーロッパの場合には、外来のキリスト教に祖先の神々を圧殺され、しかも圧殺したその神を信じているとの強烈な矛盾があり、これが強い葛藤を生んでいる。ユングは「ヨーロッパ人の深層には未だ原始の神々が宿っている」と述べているが、その神々はすべからくキリスト教への復讐神となっているのだ。

この神に対する葛藤が異教徒に、とりわけ改宗しない異教徒に投影され、その最悪の結果が虐殺につながった。もし、改宗しない異教徒を認めたなら、それはかつて自らが採った改宗が全否定されることになるからだ。曽野氏の列挙した愛の言葉は異教徒には届くことなく、その憎しみだけが投影されることになった。

ここまで来れば明らかであろう。

一神教は世評のごとく、きわめて不寛容かつ分裂的な教えであった。梅原氏の発言はその事実を指しており、その限りではしごく妥当なものであった。と同時に、曽野氏の反論は全てを個人の行為に還元することで、キリスト教そのものへの批判を封殺する役割を果たしている。それは護教論の一種に他ならない。

加えて、そうした護教論の背後にある宗教的進歩史観も批判する必要があろう。一神教は、宗教は原始宗教（アニミズムやトーテミズム等）から多神教を経て一神教に進化したとの進歩史観を展開するが、そのような史観に何の根拠も存在しない。われわれはもうそろそろこうした護教論や進歩史観に別れを告げなければならないのである。

ちなみにここでは、キリスト教批判を主としたが、他の一神教（ユダヤ教やイスラム教）や疑似一神教（共産主義）も同じである。われわれは、一つの信仰、一つの正義を強迫的に強制する呪縛から解き放たれなければならないのである。

第2章……当世イスラム事情と神人関係

1　イスラム法と法学者

ここでは主として、イスラム世界の当世事情と神と人の関係を考察してみる。

まずはイスラム教の特徴を見てみると、イスラム教は宗教を法と捉える世界観を持っているため、ウラマー（イスラム法学者）が非常に重要なポジションにある。しかもそれは、多方面での役割を担っており、時に政治家、時に社会的調停者、危急存亡に当たっては軍事指導者にもなることがある。イスラエルが、ウラマーを狙い撃ち（暗殺や誘拐）する理由は、あげてここに存在する。それは、彼らが政治的にも軍事的にも主要な役割を果たしているからに他ならない。

そのため、イエスの発言（「カエサルのものはカエサルに、神のものは神のものに」マルコによる福音書12：17など）を基にして政教分離をはかってゆくキリスト教とは大いに違う。ましてや、世捨て人（宗教的流民）と成り果てる仏教僧やヒンドゥー行者（サドゥー）ともまるで違う。

だが、このイスラム教の世界観はきわめてやっかいな代物なのだ。異教徒にとり、非常な差別に出会うからだ。

例えばサウジで、交通事故を起こした場合、被害者が異教徒かムスリムかで格差がある。しかも、それはイスラム法が合法と認めるところで、差別の解消はのぞめない。なぜなら、イスラム共同体はゲマインデ(閉鎖共同体)となっているため、内と外との規範を違える二重規範を取っているからである。この問題は裁判になればさらに昂じ、異教徒には非常な不利益が待っている。例えばサウジアラビアでは、アラビア語話者の男性ムスリムの証言しか採用されない。これでは、圧倒的に不利な裁定しか得られない。

だから、日本人から見るならば、神が不公正を奨励しているかに見えようが(実際そうだが)、それをもって神を批判することは絶対タブーで、口が裂けても言ってはならない。もし公然と神を批判すれば、この世界ではただでは済まない。まかり間違えば、頸動脈を切り裂かれる。神の否定は死罪だからだ。

ただ、それ以前の問題として、日本人にはコーランそのものが分からないのではないか。理論的に分からないのではなく、読んでもすっきりこないのだ。何というか、変な教えと変な神と付き合っているような気分になる。だから、有難味が少しも湧かない。

コーランは、アッラー(神)に対して「(アッラーに)良い貸付けをする者は誰であるか」(第二章二四六節)と言い「アッラーに立派な貸付けをせよ」(第七三章二〇節)と述べ立てるが、これなども神が金融業者になった気になり、もったいなくも何もない。というわけで、コーランに登場する神については強い違和感が残るはずだ。むろん、その神が下す法概念は言わずもがなで、それを信仰（厳守）する気にはまずならない。しかし、それではお話にならないので、イスラム法がどのようになっているかを、以下において記してみる。私がリヤド大学でスーダンのウラマーから習ったイスラム法の概略に少々の補足をしたものである。

(1)　まず、コーランに書かれてある事柄は、そのまま法的な規定となる。これは、コーランが神の言葉である限り当然のことであり、無条件で守るべきイスラム法の基礎となる。

(2)　次に、コーランにない事柄は、預言者ムハンマドの行為が規範とされる。具体的には、ムハンマドの言動、命令、黙認等を基本とする。これはスンナ（ムハンマドの慣行）と呼ばれ、コーランに次ぐ法源とされている。このスンナを記したのがハディース（ムハンマドの言行録）で、コーランに次ぐ第二法源となっている。

(3)　だが、ここで問題が起きてくる。コーランもスンナもムハンマドが生きていた六―七世紀のアラビア半島という限界がある以上、そこに書かれてない問題が続出してきたのである。そこで出てきたのが、イジュマアとキヤースである。まず、イジュマアとは、ある問題についての共同体の合意であるが、実質的にはウラマーの合意によっていた。これは、神や預言者の直接的な意志ではないが、それを受け継いだものとされ、法源の一つとなった。「我がウンマ（イスラム共同体）は誤りにおいて合意なし」（伝承〈ハディース〉）とする見解がこれを裏

(4)

付ける根拠となった。

一方のキャースは、コーランとスンナから、その精神を類推する方法を指して言う。つまりこうだ。当時のアラビア半島には、ウイスキー等どこにもなかった。では、なかったからといって飲んでいいのか。

答えはやはり否である。なぜなら、ブドウ酒が「神から心を離反するため禁じられている」ことから見て、ウイスキーも禁止に値すると見なされた。つまり、「ブドウ酒の禁止」―「人心の錯乱」―「ウイスキーの禁止」とのプロセス（三段論法）をもって法的に規制されたということだ。イスラム法はこれをギリシア哲学から拝借した。

かくして、「コーラン」―「スンナ」―「イジュマア」―「キャース」というイスラム法の基本形が確立し、それを補う第五〜第十法源を加えることで、今に見る法体系が完成されることになる。

ちなみに、これは四大法学派であるシャーフィイー派の主張であり、他の法学派、例えば最も保守的と知られるハンバリー派は、イジュマアとキャースを認めず、コーランとスンナだけを法源としている。

２　神の法（イスラム法）を破れば神罰が下される

では、この神の法（シャリーヤ）を破った場合はどうなるか。

その時は、恐るべき神罰が下される。サウジを訪れる日本人が驚くのは、その神罰（公開処刑等）がムハンマドが生きていた時代と変わることなく実践されている現実だ。

「処刑を現場で見ることは何とも言えないものだけど、それを見ている群衆が拍手喝采するというのは、どういう神経なのだろう」

たまたま、その場に居合わせた日本人の友人がそう呟いたが、その気持ちはよく分かる。私も見たが、戦慄を催すものであった。

金曜日の集団礼拝（ジュマア）後に行われる公開処刑は、圧倒的な群衆が見つめる中で実施される。処刑が行われる広場はもとより、家々の屋上からも窓からも鈴なりの人々が身を乗り出して見つめている。私が見たのは強盗殺人犯ということだったが、判決を受けた罪人は広場中央に引き出され、ひとしきり罪状を読み上げられた後二人がかりで組み伏せられた。と、半月刀を抜刀した処刑人は、突き出された首に刃を当て、次の瞬間頸動脈を切り裂いた。罪人は、ゆっくりと地上に伏し、それと同時に拍手が起き、傍にいたサウーディー（サウジ人）がそれを見て声を上げた。

「神に称えあれ、ここに神の法は守られた！」と。

シャリーヤに則った殺人は合法であり義務である。だからこそ、それは何より実行されるべき責務を負う。群衆の拍手とはそうした義務履行への賛辞なのだ。とりわけ、イブン・サウード（サウジアラビア建国者）の時代には、処刑される殺人者と手足を切断される盗人で溢れ返った。

これがどれほど苛烈に行われたかは、次の一文が示している。

これらの部族は、容赦ない厳格さで法を実施した。重罪人、軽犯罪人は直ちにワハブ宗徒から成る軍法会議にかけられた。砂漠の原始的な生活は、長い、念の入った罰とか、裁判所とか、刑務所などには向かなかった。「そこでは血が血を呼び、認められた唯一の罰は報復であった」とヒッティーは言っている。そのため、罰は簡単で、早くて、厳しかった。

殺人者は首を切られた。盗人はだれでも、現行犯は右手を切られた。再犯はもう片方の手を切られた。それから右足、次には左足であった。酩酊の状態で見つけられた酔っぱらいは、八十回棒で打たれた。姦淫の罪を犯したものは体半分砂に埋められ、死ぬまで石を投げつけられた。

ジャン・ポール・ペネは語っている。ある日一人のアラブが、警官に「米袋が道ばたに落ちていた」と届けた。

「どうして米だとわかったか」と警官が聞いた。

「さわってみました」とそのアラブは答えた。

これでもいけなかった。彼は、親指一本切られた。（ブノアメシャン『砂漠の豹イブン・サウド』河野鶴代・牟田口義郎訳、筑摩書房）

かくして、殺人者の首は血しぶきをあげて切り裂かれ、盗人の手は切断されてぶら下げられた。サウジの大地は、たちまち斬首斬手で溢れ返った。その状況は今に至るまで変わらない。

3　約束を守れなかったのは神のせいだ

しかし、右の例からも分かる通り、このような神も法も、日本にはどこにもない。

むろん、日本にも荒ぶる神（荒神）は確かにおり、それはそれで怖いのだが、そうした場合は荒神除けの処方があり、必要とあらば修験者や霊能者がそれを担う。すると、荒神の力は封じられ、その祟りは無に帰する。しょせんはそんな程度である。

だから、日本人の意識の中には、どこかで神を侮る気持ちが残っており、必然的に神意はなおざりにされてゆく。そのため、しゃかりきになって法を守る精神は成り立たない。

それは仏教史を見ればよく分かろう。

日本仏教は、あろうことか、戒を破壊してしまっている。最澄が従来の二百五十戒（小乗仏教の四分律）を十重禁戒四十八軽戒（一〇の重い戒と四八の軽い戒）の大乗菩薩戒に削減したのを手始めに、法然・親鸞・日蓮らが寄ってたかって戒の破棄を実施してゆく。

われわれはこれを肉食妻帯の名で知っている（とはいえ、肉食妻帯が公式に認められたのは明治時代の太政官布告ではあり、また鎌倉時代には叡尊らの戒律復興運動もあったが）。以後、日本仏教は、若干の例外を別として、無戒律無修行として現在に至っている。

これには外国人僧が腰を抜かした。

それはそうであろう。仏教は「因果律」を基本とする。したがって、「因」たる持戒を破棄してしまえば、「果」たる悟りも得られない。絶対に無理である。

しかも、因果律は輪廻転生を生じさせ、衆生（生きとし生けるもの）をして地獄・餓鬼・畜生・阿修羅・人間・天の六道を生まれ変わり死に変わりさせてゆくため、善因は善果を生み、悪因は悪果を生んで、その六道を経巡る。そのため、上位の世界（上道）に生まれ変わりたいと願うなら、善因（善行）を積み、悪因（悪行）を極力避ける。これが社会倫理のもととなる。したがって、因果律を否定するとは、とんでもない所業なのだ。

それをよりにもよって仏教僧が公然とやってのけたのである。驚愕されるのも無理はない。社会学者の小室直樹は、こうした宗教と法の乖離を、日本文化の法的精神（リーガル・マインド）の喪失につなげている（小室直樹『日本人のための宗教原論』徳間書店）。

そのため、法は一時的な便法で、どのようにでも改変できるものと見なしている。また、だからこそ、宗教法を何が何でも遵守する遵法精神にあきれ返ってしまうのだ。

そもそも、日本人は契約幻想を持っていない。それは、日本人がムスリムやクリスチャンになっても変わりはない。契約とは、一神教が発明した不思議な共同幻想だが、人と神が約定し、その履行を条件に神が人を守るという取り決めになっている。

だから、彼らの約定は常に神を経由して人とは直接結びつかない。彼らが約定を守るのは、神がそうするように命じたからで、「約定を破れば相手に済まないという感覚ではない」のである。彼らは、日本人に見られるような互いの信を媒介にした約定（つまりは神の存在を抜きにした約定）を交わさない。いや、交わそうにも交わせないのだ。

それは、アラブが約定を反故にした折によく分かる。彼らは傲然として開き直る。「だから、インシャッラー（もし神がお望みならば）と言ったではないか。お前との約定が守れなかったのは神のせいで、俺のせいでは全くない」と。

これを言われた日本人は思わずたじろぐ。と同時に、その言に呆れ返り、猛然と逆襲する。「冗談ではない。お前は確かにこう言った。その責任をどう取るつもりか」と。

だが、言われたアラブは動じない。相変わらず、約定の変更は神のせいだと言い募る。そして、押し問答が続いてゆく。

さて、ここまで来ると、一つの疑問が湧いてくる。それは「ムスリムと異教徒の間の契約はどうなるのか」という疑問である。

これはやっかいな難問なのだ。例えば、日本人の大多数はムスリムでないのだから、神との契約を交わしていない。と同時に、イスラム側には神との契約だけがあって、人と人の間の契約がないのだから話し合いによっても担保は取れない。

となれば、両者の間に根本的な契約は成り立たないことになる。それでいいのか？

実は、この問題は深刻なのだ。異教徒と一神教徒（この場合はムスリム）の間には、本格的な契約は成り立たず、すべからく仮契約で済ますことになってしまう。

そもそも、ムスリムにとり、ムスリム同士の契約と異教徒との契約には非常な差異が存在し、異教徒との契約は差別があって当たり前で、さらに言えば何をしてもかまわないのだ。神による絶対契約ではない以上、これは当然のことである。ユダヤ人が同胞に無利子で金を貸し、異教徒には高利子で貸すのも同様の理由である。『ベニスの商人』のシャイロックは何も悪徳金貸しではないのである。

ムスリムは口を開けば、神の下の平等を唱えるが、それは同じムスリム同士の場合だけで、異教徒に対しては差別は当然のことなのだ。

彼らの言う契約とは、このようなものである。

4　日本の神と人とは親戚縁者、一神教の神と人とは赤の他人

むろん、こうした関係は、日本のそれとはまるで違う。日本の神人関係は、契約などなくてもやっていける。たまたま齟齬をきたしても、その大半は話し合いで解決できる。両者が地縁・血縁でつながっているからである。つまり、日本の神と人とは親戚であり隣人なのだ。少なくとも、どこかで出自が重なり合う。

日本人が「話し合い万能」になるのはこうした事情に依っている。したがって、血を分けた間柄（あるいは隣近所の間柄）に契約など必要ない。日本人同士の間柄で契約を持ち出すのは限りなく水くさい関係なのだ。

契約は、最後の最後で繰り出されるやむをえない手段であっても、限りなく抑制される「抜かずの宝刀」なのである。今少し言及すれば、その「話し合い」でさえ、日本人は忌避したがる。その上にある「以心伝心」が理想であるため、「ああ言えば、こう言う」を繰り返すのは、その枠組みから外れるからだ。したがって、日本社会の仲裁人は弁の立つ人間は選ばれず、腹の据わった大人（たいじん）が尊重される。具体的には、「あの人に任せておけば、悪いようにはしない」という雰囲気を漂わせた人物だ。われわれはこれを、上は政界のフィクサーから下は町内会の世話役に至る人物像から知っている。日本人にとり、「契約によって結ばれる関係」とは、やむをえず取り

交わされる必要悪なのである。

ちなみに、両者を比較すると、日本人のセンスの方がより自然のように思われる。なぜなら、一神教に見られるような強迫観念がなくて済み、ごくごく親しく神と付き合っていけるからだ。

では、なぜ一神教は、わざわざ窮屈この上ない契約概念を採用したのか。

それは、当該の民族が何らかの事件に遭い、従来あった伝統神との関係が切断されたことを示唆している。つまり、伝統神が失われた空白に唯一神が割り込んできたのである。

それがどのような状況で起こるかはさまざまあろうが、例えば敗戦が契機となり、伝統神が駆逐された場合が挙げられよう。戦勝を保証できない神々など、何の役にも立たないからだ。

事実、当時の戦さは神々の戦さでもあった。ということは、敗戦とは自らの神々の敗死を意味する。敗れた共同体は、もはや従来の神にすがることができなくなり、新たな神（つまり見ず知らずの赤の他神）を迎えざるをえなくなる。また、それができない場合には、民族精神を喪失し、生物学的血のみ残して、歴史の彼方に雲消霧散することになる。ここ中東では、こうした神々の興亡が無数に繰り返されてきた。

原始ユダヤ人が祖先伝来の神を捨て、ヤハウェを主神に迎えたのも、こうした事件に依っていよう。具体的には、エジプトで奴隷になっていた時期がそれに当たる。そうでなければ、わざわざモーセの唱える新宗教など信じる必要などまったくなく、従来の神々で十分であったはずだ。

後に彼らは、モーセがシナイ山に登った留守に「黄金の仔牛」を神とするが（出エジプト記32

章）、その方が遥かになじめるものだったろう。それは、かつて自らが信仰した神々の名残りではなかったたか。

聖書（出エジプト記）によれば、モーセはエジプトの王女に拾われて成長し、その後自らの出自（ユダヤ人）を知るにつれ、エジプト人との軋轢を増してゆき、ついにはユダヤ人奴隷を虐待したエジプト人監督官を殺害して荒野に逃れることになる。そこで出会ったのがヤハウェであった。

だが、この出会いはどうも変だ、モーセが会ったヤハウェとは火の神（火の中から呼びかける神。出エジプト記3：2）であったが、この地に火山はないのである。また、ヤハウェはモーセがめとったミディアン人の部族神（嵐の神）とも言われるが、だとするとユダヤ人のオリジナルな神ではない。おまけにモーセは、エジプト人の名前であり、ヘブライ語が話せないようなのだ（聖書では「口が重い」と書いてある。出エジプト記4：10）。

これに眼をつけたのがフロイトである。彼によれば「モーセはもともとエジプト人で、ユダヤ人を救う代わりに自らの唯一神信仰（アトン信仰）を押し付けた」となっている。フロイトは、これを『モーセという男と一神教』で展開している（ジークムント・フロイト『モーセと一神教』渡辺哲夫訳、ちくま学芸文庫）。

この是非を論じる立場に私はないが、ヤハウェが「赤の他神」であったことは確かであろう。これがあるから、ヤハウェがファラオ（エジプト皇帝）の圧政からユダヤ人を救い出しても、彼らは気を許すことが全くなかった。それどころか、事あるごとに反抗し、ヤハウェの命をなおざりにし続けた。

そもそも、あれだけの奇跡を起こしながら嫌われる神というのも珍しい。あれだけ恩着せがましく自らの恩恵を繰り返し、他の神々を拝することに嫉妬を燃やす神も他になかろう。とりわけ、出エジプト（エクソダス）の奇跡については執拗だ。

「奴隷として呻吟していたお前らを救ってやったのはいったい誰か」（大意。申命記5：6、15、6：12、21など）

「追いすがるファラオの戦車部隊を葦の海に沈めてやったのはいったい誰か」（大意。申命記11：4など）

「皆我だ。我が奇跡を起こさしめ、お前らを救い出してやったのだ」（大意。申命記6：21–23など）

ヤハウェは繰り返し自らの栄光をひけらかす。その恩寵をかさにきる。それが少しでも拒否（あるいは忘却）されると、狂ったように怒り出す。

が、ユダヤ人もまた不遜である。ヤハウェの命など鼻先でせせら笑い、律法の穴を探し求め、困った時だけ物を頼み、ついには他神の偶像（黄金の仔牛）を製造する。その忘恩は比類を見ない。

おかげで、モーセは、自らの手勢（レビ族）に命じ、これらの者を粛清せざるをえなかった。

その数は三〇〇〇人の多きにのぼった（出エジプト記32：28）。

これは、異常極まる関係だ。押し付けられた赤の他神と信者でなければこうはならない。それは日本の神々と比べれば即座に分かる。

通常、日本の神々は、それを拝する信者らと親子関係で結ばれている。身近で言えば、神と氏子の関係だ。両者は血縁をもって結ばれているのである。先に述べた通りである。

したがって、親は自然に信者を助け、それを恩着せがましく言い募らない。なぜなら、親が子を慈しむのは当たり前のことであり、くどくどと言う必要がないからだ。もし、それを繰り返し言うならば、それはきわめて「水くさい関係」であり、血の繋がりを疑われる。

むろん、子の方も同じであり、ごくごく自然に親を慕い、それをあえて言及しない。

その点、ヤハウェは、嫉妬深く、恩着せがましく、水くさく、いったん契約が破られると烈火のごとく怒り狂う神であった。一方のユダヤ人も、常に他神に心を許し、神罰にあっても悔い改めず、性懲りもなくそれを繰り返し、神の声を述べ伝える預言者に反抗する。おかげで、両者の間に挟まれた預言者は塗炭の苦しみを味わった。何せ、あちらが立てばこちらが立たず、こちらが立てばあちらが立たずといった中で、両者の間を取り持たなければならないのである。考えるだに困難な立場であった。

だから、かのモーセもエレミヤも神から逃げ回ってばかりいた。神と出会うと無理難題を押し付けられ、ろくなことがないからだ。

このことから分かることとは、聖書がわれわれの思う信仰の書ではなく、「神と人との葛藤を記した書であること」だ。

それもこれも、赤の他神を押し付けられてしまったため、ユダヤ人の精神が愛憎入り乱れたものになったからだ。要するに血の繋がった実子でなく、奴隷の身分であったため、ひどく気まずい関係に陥ったと言えるであろう。

むろん、これは他の一神教（キリスト教やイスラム教）にも当てはまる。一神教の神と人が異常な緊張を強いられるのはこの事があるからだ。

5　イスラム教はネットワーク型のアメーバ宗教

では、こうしたイスラム教の組織とはどのようなものになっているのか。

初めに結論めいたことを言うと、イスラム教はネットワーク型の宗教で、そこがキリスト教（とりわけカトリック）と大きく違う。

そもそも、イスラム教への入信は、どこかの組織に登録するようなものではない。信者になるには「アッラーの他に神はなし、ムハンマドはその預言者である」と唱えればそれで済む（ただし、イスラム教を辞める場合は背教規定（タクフィール規定）が適用され死刑になるのでお気を付けを）。

だから、キリスト教のように、信者になったからと言って、どの教会のどの教区に属するかなど一切ない。ただ、イスラム共同体の一員になったという事実が残るだけだ。

この事実が、イスラム世界のパスポート役を果たしてゆく。具体的には、どのようなフロンティア（辺境地区）に行っても、「同胞が来た」ともてなされ、旅の安全が保障される。というわけで、いったんムスリムになると、イスラム世界をきわめて自由に行き来でき、気に入った地であればどこでも定着が容易である。加えて、どの地域でもほぼ同一の法体系（イスラム法）で裁かれるので、安心して暮らしてゆけた。

このようなシステムは商業活動に向いており、事実この地の帝国は例外なく商業帝国となっており、これを遊牧民が作った場合にはその軍事力と結びつき、巨大な遊牧帝国となってゆく。

こうしたイスラムの組織原理は、アル・カーイダ等原理主義組織にも顕著に見られ、アメーバ型のネットワーク組織となっている。

そもそも、ビン・ラーディンとバイアを交わした者と言っても、数百人程度のものであろう。バイアとは、その指導者に服従の意を示す忠誠の儀式であるが、それが個人的関係に留まる限り組織の大きさには限度があり、大規模なヒエラルヒー（ピラミッド組織）にはなりえない。

ここのところをアメリカは見誤った。そのため、アル・カーイダ本体をやっきになって追い回したが、思うような成果は上がらなかった。

また、アル・カーイダは他の原理主義組織と統一戦線を作っているが、それも緩やかな連合体の域を出ていない。要するに、コミンテルンに見られるようなヒエラルヒーはないのである。コミンテルンは、戦略・戦術レベルまでモスクワが取り仕切るトップダウン方式を採っていたが、彼らの場合はそうではない。というよりか、トップダウン方式はイスラム教の文化的型に合わないため、採用しようにもできないのだ。

こうして見ると、対米戦を戦うにはあまりに組織が貧弱で、その要員も少ないと思われがちだが、そうではない。実は、彼らの背後には、一千万単位の支援者が網の目状のネットワークを形成している。このネットワークを支える者こそ、イスラム主義に目覚めた復古主義者で、イスラム世界全域に生息している。

彼らは国境を超えている。民族も階級も超えている。おまけに、中央の統制がないために、思いっきり跳ね上がる。そのため、戦いも延々と続いてゆき、いつ終わるのか分からない。敗北を認めようにも、それを宣言する組織的主体がないからだ。

これは実にやっかいない状況で、組織的主体がはっきりし、それと戦う場合には、その中枢を叩いたり取引したりできるのだが、それが無い場合には手の打ちようがないのである。

これがアメリカを手こずらせた最大の要因となっている。イスラム世界に内在するネットワークが次から次へと新手の過激派を繰り出して、テロ戦争に参戦しているのである。

今行われているテロ戦争は、まったく違ったシステム論を持つ文明間戦争と考えられる。

6　イスラム世界は近代化が大の苦手

日本は非西欧世界で最も早く近代化に成功した歴史を持つ。何せ、国を開いて半世紀も経たないうちに近代国家に成長したのだから、ある種の奇跡と言っていい。

一方、イスラム諸国たるや、過去に高い文明を誇っていたにもかかわらず、近代化に遅れをとり、未だ鳴かず飛ばずの状態にある。

この原因はさまざまあろうが、一つにはイスラム教の持っている宗教性に依っている。というのも、イスラム教は包括的な宗教で、その戒律が社会の隅々にまで行き渡り、人々の行為を縛っているため、改革ができにくいのだ。

ところが、近代化という行為は、社会全般の改革を要求するため、こうしたイスラム規範とバッティングしてしまう。

これが、イスラム世界の近代化を強力に阻んでいる。宗教があまり社会に介入しない日本人には分かりにくいかもしれないが、その動向は社会の改革を進める上で決定的な要素となる。宗教がひとたび改革に反対すれば、それを上回る力をもってねじ伏せなければ改革は進まない。はっきり言えば、イスラム教の息の根を止めて、しゃにむに改革を進めるほか術がない。

それを如実に示すのが、次のトルコの例である。

周知のように、トルコはオスマン朝の後期から西欧に押しまくられ、第一次大戦直後にはその国家的維持さえままならぬ状態になっていた。

そこに登場したのが救国の英雄ケマル・パシャ（ムスタファ・ケマル 一八八一―一九三八）である。ケマルは、近代化が進まない元凶たるイスラム教と、それこそ血みどろの戦いを繰り広げ、その息の根を止める中で大改革に着手した。

まずは、メドレセというイスラム学校を閉鎖した。トルコ語のアラビア語表記をラテン語表記に変更した。礼拝を呼びかけるアザーンをアラビア語からトルコ語に変更した。そして、何よりスルタン・カリフ制を廃止し、イスラム法を近代西欧法に変更した。

これは驚天動地の出来事だった。おおよそ、七世紀から続いてきたカリフ制や神から与えられた聖法（イスラム法）を廃棄するなど考えられないことだった。それが伝えられるや、全世界のムスリムは天を仰いで慟哭した。その混乱は次の『灰色の狼ムスタファ・ケマル』（ブノアメシャン、牟田口義郎訳、筑摩書房）からもよく分かる。

ボスポラスからカフカスにかけ、トルコは、宗教戦争というおまけをつけた、すさまじい内乱によって分断された。町対町、家族対家族、父対子というように、あらゆるものが前代未聞の残酷さをもって戦いはじめたのだ。スルタン（オスマン帝国の皇帝）の配下に力づけられ、きょうはここ、あすはあちら、というように暴動が突発した。ムスタファ・ケマル（トルコ建国の父）一派は、相手に負けぬ残酷さをもって鎮圧につとめた。トルコ人同士が互いにのどをえぐり、石打ちの刑にかけ、拷問し、十字架にかけるのだった。コンヤ（トルコの宗教都市）では、スルタン側はムスタファ・ケマルから派遣された将校たちの爪を引き抜き、ついで八つ裂きにしてしまった。ムスタファ・ケマル側はその町の名士を一人残らず手足を切断し、市場にある広場で絞首刑にかけてこれに報いた。国中が刑場と絞首刑で被われた。津々浦々で日々の生活は悪夢の連続と化していった。

ざっとこんなものである。

そもそも、当時のオスマン朝には、近代国家の前提たる共通語も民族主義も何もなかった。いや、国家や国境の意識さえあやふやだった。もともとこの地にあるものは、宗教共同体（ウンマ・イスラミーヤ）と血族意識（アサビーヤ）だけである。これでは、強烈なナショナリズムと国民総動員体制を敷く近代国家（西欧列強）には立ち向かえない。

そのため、トルコを独立させるため、イスラム教の排除に及んだわけだが、これが右に記した通りの内乱を引き起こした。

この産みの苦しみがいかに大変なものであったかは、オスマン朝の宰相だったアーリ・パシャ（一八一五―一八七一）の次の言葉からもうかがえる。

イタリアには、同じ言葉を話して同じ宗教を信仰する民族が一つだけ住んでいる。それでも統一するには、あれだけの苦しみを味わっている。さしあたり達成したことといえば、アナーキーと無秩序にすぎない。オスマン帝国のなかで、もし多種多様な民族が自由に思いを遂げようとすれば、何が起こるか考えても見給え。どうにか事態を落ち着かせるだけでも、一世紀ほどかかり、しかも流血を必要とするだろう。(山内昌之『民族と国家』文春文庫)

まさに、この問題がトルコで勃発したのである。しかも、それは未だ解決することなく、中東のあらゆる地域で起こっている。

この地には、未だアーリ・パシャが見、ケマル・パシャが直面した問題がえんえんと続いているのだ。

ちなみに、今少し補足すると、この近代化は何も国家だけの問題ではない。イスラム社会では、個人も家庭も同じ理由で近代化は難しい。とりわけ、女性問題が絡む場合は非常に困難なものとなる。

ここにその実例があるので記しておく。アメリカにムスリムが移住して、下町の雑貨店から商売を始めたとする。と同時に、そこには韓国からの移民もおり、隣り合って商売を始めると、韓国の店は上昇気流に乗るのに対し、ムスリムの店はなかなか乗れない。

なぜか。それは韓国の店が家族全員を動員するのに対し、ムスリムの店が女性を労働から遠ざけるためである。

この差は大きい。むろん、ムスリム側とて、そのようなことは重々分かっているのだが、分かっていながらできないところに宗教規制の厳しさが存在する。

万事が万事、このような調子なのだ。近代化の難しさが分かろうというものである。

イスラム教は近代化が大の苦手なのである。

7　西欧は人民主権、イスラム世界は神の主権

今の日本で「デモクラシーを否定する」と公言する者がいたならば、「今さら何を言っている」と相手にされないことになる。したがって、それに公然と異を唱える者に出くわすと、非常な衝撃を受けてしまう。

「えぇっ！　まだそんなことを言っている者がこの世にいるのか。信じられん」と。

だが、デモクラシーは時代的にも地域的にもそれほど普遍的なものではない。中でもイスラム世界ではそうであり、西欧型デモクラシーに反対する根強い勢力が存在する。その代表がイスラム原理主義であり、その主張には一定の支持がある。

ではなぜそのような見解が共感を得るのだろう。

それには、デモクラシーがイスラム教の根幹とバッティングするところがあるからだ。彼らは言う。「ヨーロッパ民主主義は神の主権を否定する。よって、断じて認められない」と。

また、こうも言う。「立法権を人民（議会）に委ねることは神の法の改変を意図するムスタブディル（法改変者）の所業である。これほどイスラム法を冒瀆するものはない」と。

そして、最後にこう付け加える。「アッラーフ・アクバル（神は偉大なり）！　イスラムこそ解決策だ」と。

この場合の神の主権とは、神から下されたイスラム法の絶対優位を指しているが、これが「立法権を人民に求め、それを社会的総意」とする近代西欧と正面衝突したのである。

このことから分かることは、「イスラム原理主義者がデモクラシーを真っ向から否定する神権主義者であること」だ。彼らはテオクラシー（神権主義）の剣を抜き、デモクラシーに切りかかっているのである。

むろん、西欧社会も、これに激しく反発している。

「人民主権を否定するだと？　民意を神意に置き換えるだと？　奴らはいったい何を考えている。デモクラシーを断固守れ。一歩たりとも退くな」と。

断っておくが、こうした意見は、何も排外的な保守層から出されているだけではない。文化相対主義を取るヨーロッパ・リベラルからの難詰もそれに劣らず激しいのだ。

彼らは、イスラム世界に散見する石打ち刑、鞭打ち刑、女性の割礼（陰核の切り取りや封鎖）、スカーフやチャドルの着用、ポリガミー（一夫多妻制）、名誉の殺人（性的問題を起こした女性に対する身内の男の殺人行為）、その他もろもろの人権抑圧を逐一取り上げ、これを激しく難詰した。

これが「イスラム問題」と称される社会政治問題で、ヨーロッパの選挙の折には必ずこれが持ち出される。

ちなみに、イスラム教がなぜ法にこだわるかははっきりしている。

それは、この宗教では法があらゆるものの土台をなしているからだ。マルクス流に言うならば「下部構造たる法の上に、上部構造たる政治的経済的社会的文化的な一切合切がそびえ立つ」と考えるのがイスラム教の基本である。したがって、何らかの社会改革を行う場合は、まず何よりもイスラム法の法解釈が求められ、それが合法性を得て初めて社会改革が推進されることになる。政府も野党も反体制派もこの点においては同じであり、社会政治的事項においてはイスラム法のお墨付きを得るためにやっきになる場合が多々見られる。

それ故、重要な課題においては多少なりとも法律論争が巻き起こり、そのコメントも司法用語が頻発する。イスラム世界の政治状況がきわめて分かりにくいのはこの事にも依っている。

そのイスラム法の絶対性がデモクラシーの出現で危うくなってきたのである。そのため、デモクラシーに反対する勢力が台頭し、それに支持が集まってもおかしくない。イスラム原理主義が一定の支持を受けるのはこのことがあるからだ。すなわち、西欧でもイスラム世界でも、その交流が進むほど、相互の拒絶感が深まる結果になっている。いわば、文化の多様性が通じないのだ。

むろん、この問題は日本にとっても他人事ではない。日本は今、移民社会の入り口に立っている。今後は、ムスリム移民も多くなる。その結果、人権や個人の自由や男女平等等をベースとする国法がイスラム法とバッティングする機会も当然増えよう。なぜならムスリムの一般的傾向として、国法よりイスラム法を優先することが多いからだ。

それはヨーロッパを見れば即座に分かる。ムスリム移民は受け入れ国の慣習や価値観に同化していないし、しようともしていない。「郷に入っては郷に従え」がまるで通用しないのだ。しびれを切らしたメルケル（一九五四–。前ドイツ首相）が大量の移民流入に際して「国法はイスラム法に優先する」と宣言したが（二〇一六年一二月六日、キリスト教民主同盟の党大会にて）、このままムスリム移民が増え続ければ日本もやがてはそうした事態になるであろう。

想えばこの間、イスラム世界は西欧産の制度や思想をどのように扱うかに非常な躊躇を覚えてきた。いかに優れた文化であっても、いざ取り入れる段になると、激しい拒絶感に苛まれる。かと言って、そのまま事態を放置すれば、ますます進歩から取り残される。

デモクラシーも、そうした悩める対象の一つであった。とりわけそれは、欧米から常に強要されてきたこともあり、強い反感を生んでいた。「押し付けられた民主主義」ほど形容矛盾なものはない。

一方のヨーロッパも、文化の多様性を国是としてきた北欧でさえ、もはや許容範囲を既に越え、この問題に七転八倒を続けている。

リベラルが常に言う「お互いに分かり合えば衝突はなくなる」は誤りで、さらに衝突は増えている――これが両者の間の現状なのだ。

8　人は神の家畜である

ここからは、中東における一神教の在り方を概観してみる。それを牧畜社会とのアナロジーで捉えてみようということだ。具体的には、人と神の関係を人と家畜の関係で捉えるアナロジーである。

その場合、人は神の家畜に例えられよう。となれば、神の家畜（神畜）たる人間は、いかようにも処分される。また、必要とあれば有無を言わさず屠られ（民族の絶滅）、市場に売り飛ばされて赤の他畜（他民族の奴隷）にされてしまう。イスラエルの民のたどった歴史がそれを端的に示している。

その苛烈さは比類がない。

そこには、常日頃神が見せる献身的な愛はない。あるのはただ、自らの家畜（人）に対する剝き出しの支配権だけである。

無償の愛と剝き出しの支配欲、しかも互いが互いを求める関係――これが神と人との関係なのだ。その時人は、神が何をしようと唯々諾々と従う他ない。

だから、神人関係は「主・奴隷関係」になるのである。

かつて、山本七平（イザヤ・ベンダサン）はこうした神人関係（ヤハウェとユダヤ人との選民関係）を、「神と人との養子縁組」と表現した（イザヤ・ベンダサン『日本人とユダヤ人』山本書店）。つまり、神が数ある諸国民の中からユダヤ人を選んで養子とし、その時に交わした契約が律法だというのである。

が、この表現は非常に甘い。これが養子縁組なら、なぜ神はあれだけの怒りをユダヤ人にぶつけ、ユダヤ人もなぜあれだけ神に楯を突き、忘恩になるのかも分からない。見ようによっては仇敵（あだがたき）の関係だ。

だから、一神教の神人関係は、養子縁組などではなく、ずばり主・奴隷関係なのだ。神たるヤハウェは、あたかも奴隷商人が奴隷市場で奴隷を調達するように、ユダヤ人を選び出し自らの専属奴隷（選民）にしたのである。その後キリスト教は、神の愛を異常に強調してゆくが、これも養子に対する愛ではなく、自らが選んだ奴隷故に大切にしようとする愛である。そもそも、聖書に出てくる「僕（しもべ）」との日本語訳は不十分で、端的に「奴隷」を意味する。

この神人関係が最も露骨に現れたのがイスラム教の場合である。そこでは、人は神の奴隷であるとの認識がこれ以上なく示されている。アブドッラー、アブドッラフマーン、アブドルアジーズ等々のムスリム名は、ずばり「神の奴隷」との意味を持ち、しかもそれを「選ばれた奴隷」と誇りにしている。それは、地に額をすりつけて拝をするサラー（日に五回の礼拝）を見れば即座に分かろう。したがって、ユダヤの律法やイスラム法（シャリーヤ）は、いわば神の奴隷の心得を書き連ねた法典で、この法典を厳守するのが啓典の民、それ以外が神の恩恵に浴さない異教徒ということになる。

翻って、これを先ほどの人・家畜関係に置き換えると、「神に飼われているのが文明人、飼われてないのが野蛮人」と言うことになる。

この差異は日本にはなく、したがって野生と飼育の違いは、ない。牧畜文化のないところ、家畜を管理する伝統もその管理から外れた野生も共に存在しないからだ。日本人が飼っていたペットをすぐに捨てる挙に及ぶのはこのことに依っている。いや、ペット自身もしつけられていないため、プイとどこかへ行ってしまう。

これが、彼らの不信を呼ぶ。一度飼えば最後までその管理を徹底し、行方不明になった場合は「草の根を分けてでも捜索しなければならない」のである。イエスの言ったとされる「迷える子羊の例え」がそれに当たる。

要するに、一神教の原型は牧畜形態のアナロジーがよく当てはまり、一神教に帰依した者とは「神に飼われた神畜（神の家畜）」で、それ以外の者たち（非一神教徒）は「野生獣」というわけだ。彼らの言う「司牧の教化」とは、この野生獣を文明獣に仕立て上げるプロセスに他ならない。

「神は司牧、人は家畜」――これが彼らの構えである。

それは、クリスチャンがその人生を徹底して教会（とりわけカトリック）の管理下に置かれていたことからもよく分かる。クリスチャンたる者、洗礼を受けなければ正式な誕生と認められなかった。結婚も神の承認を得なければ不義密通にしかならなかった。死亡時でさえ終油を受けなければ埋葬許可を得られなかった。それは、司牧の下で生殖（種付けと誕生）から死（屠殺）までを管理され、その一生を終える家畜と同じだ。

ここまでくれば明らかだろう。一神教の言う文明人とは、司牧の教化を受けた者で、野蛮人とはその経験のない者を指している。文明と野生の違いとは、神に飼い慣らされているか否かの相違なのだ。よくわれわれは、一神教の信仰者が、文明と野蛮を峻別する光景に出くわすが、それはこのような意味を持っている。

われわれから見れば、自然の良さを残しておく方がはるかにいい場合など多々あるが、彼らにそのようなセンスは希薄である。しゃにむに、自然を改造し（文明化し）、支配しようと試みる。文明と野生の違いとは、かくも重要なものなのだ。

ちなみに、一神教世界の文明と野蛮の差別化は明確なヒエラルヒーにつながるが、それがはっきり現れるのが旧約聖書の世界である。

そして神は、「われらにかたどって、似せて、人間をつくり、海の魚、天の鳥、家畜、地上のけものすべて、地をはうものすべてを、これにつかさどらせよう」とおおせられた。

神は、ご自分にかたどって人間をつくり、神に似せてつくり、男と女とにつくられた。神はかれらを祝福して、「生めよ、ふえよ、地をみたせ、地を従わせよ、海の魚、天の鳥、地上をはうものをつかさどれ」とおおせられた。

また神はおおせられた。

「私はあなたたちに、地上に種をもつすべての草と、種をもつ各種の果樹をあたえる。これはあなたたちの食べものとなるであろう。また、地上のすべてのけもの、天のすべての鳥、地に生きるすべてのはうものの食べものとして、青草を与える」と。そして、そのようになった。神は、そのわざを見、ひじょうによしと思われた。夕べがすぎ、朝がきて、これが第六日目である。（『旧約新約聖書』ドン・ボスコ社）

この思想は、ユダヤ・キリスト教の基本的自然観を示している。つまり、「神」―「人」―「動植物」―「自然（無機物）」という上意下達のヒエラルヒーとなっている。これは、農業・牧畜社会の思想を反映したものとなっており、それを神の名により聖化したものと言っていい。

このヒエラルヒーは、その後ヒトを「文明人（一神教徒）」と「野蛮人（非一神教徒）」に峻別し、動植物を「家畜・栽培植物」と「野生動植物」に区分してゆく。

彼らは世界に新たな秩序（差別化）をもたらしたのだ。

9　イスラムとは「(神への)絶対服従」を指している

その神と人が契約を交わし、それを法（外面規範）で示したのがユダヤ教とイスラム教で、それを内面（心の内）に移したのがキリスト教である。クリスチャンが「内面で割礼した者」（ロマ書2：29「心に施された割礼」）と呼ばれるのはこのことがあるからだ。

この神と人との関係は、契約が守られる限り継続する。これが神と選民（神に選ばれた奴隷民）の関係である。

だが、契約が破られた場合はこの限りではない。もはや、神は「我が主」ではなく、人も「主の選民」ではありえない。

となると、どうなるか？

自らを怒りの神、妬みの神と自称している神のことだ。その怒りが爆発するのは言うまでもない。

われわれはそれを「ノアの箱舟物語」で知っている。あの時神は、契約を破った人類の皆殺しを計画し、それを平然とやってのけた。また、「ソドムとゴモラの物語」では、不義を重ねた民に激怒し、町全体を焼き尽くす所業に出た。

それほど恐ろしいのが一神教の神であり、だからこそ、その怒りを買うまいと必死に契約を守るのだ。この契約が時代と共に変更され（アブラハム契約、シナイ契約、ダビデ契約等々）、この世の法則が変わってゆく様を述べたのがユダヤ教の歴史観で、これを引き継ぎ、新たな契約（新約）を付け加えたと述べたのがキリスト教である。

キリスト教がユダヤ教の聖典を『旧約（神との旧い契約）』と言い、自らの聖典を『新約（神との新たな契約）』と呼ぶのはこのことがあるからだ。

ちなみに、イスラムとは、アラビア語で「（神への）絶対服従」を指して言う。文字通りの無条件の帰依である。

これは戦慄すべきことである。いかなる神命に対しても、一言の弁明もなく服従を誓うのだ。これほど恐ろしいものはない。

なるほど、神の機嫌がいい場合はいいであろう。だが、ひとたび機嫌を損ねると、さあ大変。右の大洪水に見られるような惨劇に遭遇する。

この場合、人が自由意志をもって抗議できるとする立場と、被造物（神に造られた物）の分際で創り主（神）に文句が言えないとする立場が存在するが、神から見れば被造物が何を言おうが基本的には関係ない。機嫌が良ければ聞くこともあるし、悪ければ全く聞かない。そもそも、神と人との関係は主・奴隷関係である故、最後は神意を一方的に押し付けるだけである。その証拠には、人から契約の変更は一切できない。それはただ、神の恣意で初めて変更可能になる。したがって、いつ何時無茶苦茶な契約が突きつけられるか分からない。その神に絶対服従するというのだ。これがいかに戦慄すべきことかは言うまでもない。そして、その決断をなした者こそ、「ムスリム（絶対服従した者）」と呼ばれる者たちなのだ。

以上が、一神教の神人関係であるが、これが人にとり、すさまじい重荷になっていたことは明らかである。そのため、いつか奴隷たる人が神に反抗する時が来ることは予想されることであった。その時代がキリスト教で言えば、近代である。

かくして、かの有名な言葉が出現する。「神は死んだ」（ニーチェ『ツァラトゥストラはかく語りき』）と。

だが、今一つ踏み込めば、神は死んだのではなく、殺されたと言った方がいいであろう。奴隷（人）はその重荷に耐えかねて、神殺しをやったのだ。と同時に、それは神に代わるさまざまな神々の出現を意味していた。理性信仰、啓蒙主義、科学主義、共産主義、そしてその死と共に心の底深く沈潜していた古代の神々が出現してきた。イスラム教はアラブにとり、ヨーロッパ・キリスト教のように押し付けられた外来宗教ではないために心理的表層と深層の乖離がまだ少ないが、それでもムスリムがジャーヒリーヤ（前イスラム時代）と呼ぶ時代の血縁主義が顔をもたげ、イスラム規範をないがしろにする。一神教は未だ彼らの表層をなぜただけで、その深層には食い込んでいないものと思われる。

10　神は赤の他人を結びつけた

もともと、セム系の神は神と人との血のつながりをまるで問わない神である。だから啓示を託す預言者にもそれは全く問うていない。彼らはただ、無作為に選ばれるだけである。しかも、預言者の意向などまるで無視して、自らの警告を告げさせる。

「汝らに告ぐ、よおく聞け！　汝らの心は神から離れ、その心中は背信に満ちている。故に神の声に耳傾けよ。その罪をただちに改め、その行いを正しくせよ。悔い改めよ、神を怖れよ。さもなくば、その行く末には恐るべき神罰が下るであろう」

その警告は鋭く、激しい。

だが、それを聞く者たちの思いも不遜である。彼らはそれを聞こうとしない。それどころか、鼻先で嘲笑い、それでも警告を続ければ、力尽くで抑え込みにかかってくる。先ほどの神人関係で言えば、預言者とは神が選んだ奴隷頭で、その奴隷頭を使って一般奴隷を誘導させようとするのだが、それが言うことを聞かないものだから、神と奴隷の間に挟まり窮地に陥ることになる。これが預言者の立場である。

そのため、神に選ばれた預言者は塗炭の苦しみを味わった。中でも最も苦しいのは一族の者と絶縁し、長く続いた伝統と切り離され、一切の慣習を敵に回すことであった。神によって選ばれるとは、社会からドロップ・アウトすることだった。それは、生きているのが耐えられぬほどの苦痛だった。

事実、ムハンマドもイエスも従来の共同体からドロップ・アウトした私人（出族）であった。私人というあいまいな言葉はこの際止めよう。当時の世界で共同体からはみ出た者は、ずばり「人でなし」であった。その人でなしの周りに同じく人でなしが集まったのが、初期イスラム教団やキリスト教教団である。

ちなみに、この人でなしという状態は何とも無茶苦茶な状態なのだ。この時代、共同体に属さない者たちは、何の権利、何の人格も持ちえない流民であった。その人でなしを糾合して新たな共同体（信仰共同体）を作ったことにイスラム教の意義がある。

これは、（人でなしになった）赤の他人同士が結合する前代未聞のものであった。またそれは、神と人とが赤の他人同士である状態とパラレルなものであった。この時期が貨幣経済の拡大と時を同じくしたのは興味深い。赤の他人の宗教的つながりと社会経済的つながりは並行していたのである。

だが、それもこれも、アラブ的精神がイスラム教の世界観と背反していたからである。

この場合のアラブ的精神とは、砂漠に生きる部族的精神を指して言う。

これが、どれほど強力なものかは次の詩が示している（井筒俊彦『イスラーム生誕』中公文庫）。

われはガズィーヤ族の者なり
わが部族迷いの道を行けば　われもまた迷い
ガズィーヤが正しき道を行くときは
われもまた共に正しき道を行く（ドライド・イブン・シンマ、井筒俊彦訳）

この強力な血の意識が当時のアラブの精神だった。これを日本イスラム学の泰斗・井筒俊彦は「血わずらい」と、そう称した。然り、彼らはこれ以上なく血をわずらい、連綿と続く祖先の精神を引き継いでいた。彼らの祖先は今もなお生きている。祖霊は死した魂では決してない。この瞬間にも、生き続ける生々しい存在なのだ。祖先の栄光は彼らの栄光、祖先の屈辱は彼らの屈辱。それ以外、何があるのか！

その血の高貴と純潔こそ、砂漠の民の誇りであった。単なる誇りではない。全人格的な誇りなのだ。だから、その誇りが傷つけられればしゃにむに回復しようと試みる。彼らが同害報復を呼号し、血の復讐（ディア）に狂奔するのはこのことがあるからだ。

日本人は「水に流すことを良しとする」が、アラブは「根を持つことを良しとする」のだ。血をわずらった砂漠の民――これが彼らの姿である。そして、この状態が延々と続いていたのだ。

11　イスラム教はアラブの原風景を取り込んだ

そんな血わずらいの砂漠の民にイスラム教は挑戦し、公然と異を唱えたのだ。おそるべき挑戦だ。そして、一応のところイスラム教の勝利となった。

当時のアラビア砂漠では、非常な無規範状態が進行していた。かつてあった部族的団結は失われ、急速な個人主義に傾斜していた。

その時起きた膨大な富の蓄積がそれを助長し、弱者を踏みつけ、社会規範は崩壊寸前になっていた。それをムハンマドは警告し激しく糾弾したのである。

むろん、部族主義者がこうした警告や糾弾に唯々諾々と従ったわけではない。次第に警戒を強めてゆき、遂にはムハンマドの命をつけ狙うまでになってゆく。そのため、両者は激しい衝突を繰り広げるが、イスラム側が勝つことで、部族主義者をねじ伏せたのだ。

ムハンマドはまずアッラーの唯一性、全能性、絶対性を称賛した後、そのもとで創られた人間の平等を宣言した。また、返す刀で血筋や富を誇り合う人々の生き方を否定した。彼らが血道をあげる血の復讐や利息の禁止も強く求めた。そして、死した後にやってくる最後の審判を描いて見せた。

それは、恐るべき光景だった。人は一人、アッラーの前に引き出され、生前の行いを裁かれる。

その裁きは峻厳で、一切の弁明はなしえない。それは、すくみ上るような戦慄だ。何もかも放り出したくなる怖れである。事実アラブは、これをもってあれほど固執していた血のこだわりを手放した。イスラム教とは、そうした部族的人間関係を寸断し、一人一人の人間が直接アッラーと向き合って、生前の行いを裁かれることを警告した教えであった。

これは、それまでのアラブには全くなかった思想だった。そもそも、何の身分もない者が、神、それも全知全能の神と向き合うなど考えられないことだった。それまでの常識では、共同体の長や最高位の司祭だけが神と向き合える存在だった。

ところが、イスラム教はそれを破り、直接神と向き合う状況を作り出した。あれほど強固な血のつながりが弱まったのはこのことがあるからだ。

ただし、それでも、イスラム側が完全勝利したかと言えば、そうではない。

実を言うと、イスラム教は、そうした部族主義を否定しながら、その実密かに取り込んでもいたのである。接待（ディアーファ）と保護（アマーン）は、旅人への義務として奨励した。血の復讐（ディア）と略奪（ガズー）は異教徒へのジハード（聖戦）として取り込んだ。一般名誉（シャラフ）も性的名誉（イルド）も昇華しながら受け入れた。

まだある。それは、次のコーラン百章を読めば理解できよう。

あえぎながら突き進む馬によって誓う
ひづめに火花を発し
暁に（敵）を襲い
砂塵を巻き上げ
敵軍のただ中に突進する時によって誓う
まことに人は主に対して忘恩の徒である
人は、それについてこのうえなき証人であり
富を愛すること限りがない
人は墓の中にあるものが暴き出されることを知らないのか
胸の中にあるものが暴き出されることを知らないのか
まことに主は、その日、彼ら（の姿）についてよく知りたもう

砂漠の中を馬にまたがり疾駆してゆく。馬の蹄が地面を蹴るたび、パッパッと白い砂塵を巻き上げる。それが馬群のいななきを伴って、彼らの心を高ぶらせる。それを止めるものはもはや、ない。

その中を、雄叫びとともに敵軍目掛けて突進するのだ。

うっとりとした光景だ。アラブの男（おのこ）の至福の時だ。

その至福に酔ったアラブの心に、神の警告がたたみ込まれる。人の主に対する忘恩を、富に対する激しい執着を、最後の日（審判）に全ての墓が暴かれる光景を。縮み上がるような戦慄だ。無条件の恐怖である。それが、前半部の光景と合わさることで、この章句は完成する。

誰しもすぐに気付くことだが、この章句の前半部（誓いの部分）と後半部（警告の部分）に、何のつながりもありはしない。そこには全く異なる情景が並べられているだけである。

だが、彼らにとってはこれでいいのだ。それどころか、砂漠の中を馬で疾駆する情景に誓うほど確かなものは他にない。その誓いに依ることで、預言者の警告はアラブの心に浸み透る。

コーランがなぜかくもアラブの心を揺るがせたかは、ほぼこのことに依っている。イスラム教は、アラブの原風景を取り込むことで、彼らの心を魅了したのだ。

だから、確かに現世至上主義的な考えを堕地獄の恐怖によって抑え込みはしたものの、それはアラブの原風景の力を借りたことにより、アラブの深層はそのまま温存されてゆく。

このことからも分かることは、アラブは依然アラブのままの深層を保ちながらムスリムになっていたということだ。

こんな彼らに神の言葉を伝えようというのである。これがいかに困難なことであったかは言うまでもない。この葛藤は現在にまで続いており、両者は互いにせめぎ合っている最中にある。

12　鼻を上向けて生きる者

さて、ベドウィン（砂漠の民）の見る世界は立体的な世界である。駱駝の上から見た世界は高く、広い。極端に言えば、全てを見通せる世界である。

それは、水田で稲を見る日本人とはまるで異なる。

水田と向き合う日本人は這いつくばるように世界を見る。せいぜいが実った稲穂の視線で見る。

これは、人の姿勢で言うならば、腰を折った世界観だ。

それは、駱駝の上から見通した世界とまったく違う。遊牧民は世界を見下ろし、人を見下ろす。

事実、アラビア遊牧民は、自らの存在を「鼻を上向けて生きる者」と自称した。おそろしく不遜な態度だ。

だが、日本人はこれとは違う。腰が低い人間をそれこそ理想のものとした。だから諺にも言うではないか。

「実るほど頭(こうべ)を垂れる稲穂かな」と。

しかし、彼らから見るならば、頭を垂れる人間など、一人前の男(おのこ)ではない。一人前の男とは、すべからく鼻を上向けて生きる男だ。

ちなみに彼らは、植物相手の人間（定着農耕民）より、はるかに凶暴で剽悍だ。と同時に、おそろしく分裂的だ。あれほど愛を注いでいた家畜にも、いささかの容赦もない。砂漠で駱駝がへばった時など、有無を言わさずぶん殴り、否が応でも歩かせる。あるいは、気付けのために顔を斬りつけ、それでもダメなら平然と見捨ててゆく。前者の場合は巨大な駱駝がすさまじい咆哮と共に飛び上がり、後者の場合はその全身を横たえながら死の痙攣を重ねてゆく。キャラバン・ルートに点在する砂を抱いた駱駝の死体（白骨）はそれを見事に示している。

重ねて言うが、遊牧民とは自らの生きる糧（家畜）に、猛烈な愛着と残酷を同時に投影した者なのだ。

そのような苛烈さは、社会関係にも反映する。それをアラブ最大の史家イブン・ハルドゥーン（一三三二―一四〇六）は次のように述べている。

アラブがもし都市を席巻すれば、都市は急速に崩壊する。その理由はこうである。彼らは、野蛮な習慣に慣れ親しみすっかり野蛮な民族になっている。その結果、これが彼らの性格や性質となっている……（中略）……

例えば、鍋の台に置くための石が必要になってくると、建物から運び出しそれを破壊して、そのため（鍋の台のため）だけに利用する。木に関しても同様で、それが天幕を立てるために必要となると、建物の屋根を壊して天幕の支柱にしようとする。彼らの生存原理は、文明の根元である建築の否定である。そして、これが彼らの一般的な状況なのである。

また、彼らの性癖として人々の持っている所有物を巻き上げることが挙げられる。彼らの生活の糧は槍の及ぶ所にあり、人々の財を巻き上げることにかぎりがない。彼らの眼は金や家具や道具など気付いたもの全てに注がれる。もし、征服や王権によって略奪が可能となると、人々の財産を保護する政治はもはや機能しなくなり、文明は崩壊する。

また、彼らは職人や商人に彼らの仕事を請け負わせながら、それに対して価値を認めず、何らの資金や対価も払わない。後述するように、労働は所得の根源であるゆえ、もし労働が無に帰して対価を得られなくなれば、所得を得ようとする欲求は弱くなり、労働力は減退し、住民はいなくなって文明は崩壊する。（『ムカッディマ（歴史序説）』私訳）

これは定着民から見た世界観で、公平なものとは言えないが、事実としては一応正しい。彼らは、時に無茶苦茶な凶暴性を発揮する。はっきり言えば、定着民（文明）のルールなど屁でもないのだ。何せ、かっぱらいを常としている彼らである。平然と略奪を繰り広げ、阻止する者には実力を行使する。もちろん、いささかも悪びれずに。

それもこれも、動物（家畜）を相手にするある種の激しさがあるからだ。それは、農耕民にはまるでない激情と言えるであろう。そして、イスラム教は、その無軌道な激情を絶対神の力をもってねじ伏せるために登場した。

13　落ち着いた人間など木偶の坊に他ならない

彼らとわれわれが違うのは、それだけにとどまらない。

時空の認識がまるで違う。

ある時、私は彼らから、

「井戸はすぐそこにある」

と告げられた。

ところが、行けども行けどもどこにもない。延々と砂の山が連なるだけだ。

一時間歩き、二時間歩いた。何もない。三時間歩き、四時間歩いた。それでも、井戸は見えてこない。

正直不安になってくる。ばかでかい大地の中を、いつ果てるともなく歩くことがいかに不安なものかを思い知る。と同時に、意識は朦朧となってゆき、夢遊病者のようになる。

右・左・右・左・右・左……。

手足が勝手に動くだけだ。

しかも、完全な千鳥足になってしまい、まっすぐに歩けない。あまりに広い空間では、身近な指標を失って方向感覚が麻痺してしまうからである。

かくして、時間と意識と方向がバラバラになってしまい、日常感覚が失われる。

これが、砂漠の中の状況だ。

ようやく、そこに着いた時には、すでに六時間が経過していた。それが彼らの「近い」である。

だから、彼らが「遠い」と言った場合には、本当に遠いのだ。思わず、座り込みたくなってしまう。

両者の時間感覚はかくも違ったものなのだ。

だから、この地で時間を決めても、まず正確に守られない。

「明日の五時、ここで会おう」

「インシャーッラー（もし神の思し召しがあるならば）」

「明後日までに、この書類を持ってきてくれ」

「インシャーッラー」

「明々後日が納期なので、それを必ず守って欲しい」

「インシャーッラー」

このインシャーッラーがくせ者なのだ。約束が守られるか否かは定かでない。彼らの時間は、みなこのように過ぎてゆく。

ということは、言われた方は、非常な不安にかられてしまう。事が重大であればあるほど落ち着いてはいられない。ひたすら、祈るような思いをもって、その動向を見守るだけだ。とりわけ、時間に厳格な日本人はそうである。イライラが高じて諦めにも似た心境で時を待つ。

むろん、抗議しても始まらない。

「ブクラだ（明日だ）、ブクラ」と言い返され、それでも粘ると「マレーシュ（気にするな）」の一言ではねつけられる。これが、アラブのＩＢＭ（インシャーッラー、ブクラ、マレーシュ）の中身である。この地の者は、全ての責任を神に押しつけ、ゆうゆうと暮らしている。

だが、これをもって彼らの動作がスローモーだと考えるのは早計だ。

それは、時に、おそるべき俊敏さとなって現れる。例えば狩りの場合がそうである。眠りこけているかのようなその姿は、一瞬後にはつい伏せの形をとって銃を構える。つい先ほどの姿とは一転し、これが同じ人間かと見まがうばかりだ。

これが砂漠の民のリズムなのだ。

したがって、彼らにとり、「落ち着いた人間など木偶の坊」に他ならない。日本人には誉め言葉たる「落ち着いた人間」とは、けなし言葉なのである。

それは、定着生活からもたらされる「汚れを身につけた人間」の代名詞なのである。つまり、移動こそが彼らの理想とする生き方なのだ。

然り、彼らは風とともに生きる民だ。あだやおろそかなことで定住などしはしない。いや、一見定住したとしても、その気質は残っている。それが証拠に、彼らのお気に入りの職業はドライバーやパイロットだ。

眠りこけたデスク・ワークなどクソックラエだ。そんなものを続けたら、おそらく気が違ってしまうだろう。ワーッと叫んで書類も何も放り出し、どこかへ立ち去ってしまうに違いない。

事実、マンションの一室に閉じこめられたベドウィンは次々と精神障害を起こしてしまい、サウジは世界一の精神科医繁盛国になってしまった。これがこの国の実情である。

14 ベドウィンは城を造らず、国を知らない

ベドウィンは城を持たない。また、城を攻めるのも苦手とする。

前者の理由ははっきりしている。砂漠に逃げれば逃げおおせるからである。そこまで追ってくる常備軍はまずいない。だから、彼らは築城しない。したがって、籠城戦も戦わない。ベドウィン軍に屠城がないのはこのことがあるからだ。屠城とは、籠城した軍民が皆殺しに遭うことを指して言うが、危なくなったベドウィンはさっさと退却するために、屠城はまず起こらない。だから、「城を枕に討ち死にする」との諺は彼らの辞書にはどこにも、ない。また、それをやった将軍がほめたたえられることもない。もし、そのような将軍が居たとしたら、馬鹿にされるのがおちであろう。

逆に言えば、築城を知らないベドウィンは、国家の存在も知らなかった。

ここ中東では、建国とは城を造ることである。城壁に囲まれた城塞都市を造ることこそ、国を

造ることなのだ。だから、史書でも、築城ができてようやく一人前の国家となり、周辺国との外交関係を樹立できたと書かれてある。

ところが、ベドウィンはそれをやらないものだから、いつまで経っても認知されることがなかった。彼らがようやく建国し、世界史に登場するのは、後述する遊牧帝国成立期のことであった。彼らは定着民が造った城を乗っ取って、初めて国家の体をなした。それまでは、移動する集団そのものが唯一の政治権力だった。

これは、かのイザヤ・ベンダサン（山本七平）の指摘するところだが、彼は武田信玄が言う「人は城、人は石垣、人は堀」が明確な日本的思考であるという。信玄は、定着民の密集・連帯した状態を城に代わるものとしたが、ベドウィンの強さは素早く離合集散する力にある。その地でじっくり根をはやし、その力を結集して城の代わりにする精神（信玄の精神）とはそのベクトルがまるで違う。ベドウィンに、定着社会の権化たる城などは無用の長物であったのだ。

さらに日本の城郭は、遊牧帝国の脅威にさらされた中国やイスラム世界の城ではない。それは兵士だけが籠城する城であり、民衆が立て籠もるものではなかったからだ。

民を含めた城郭がようやく完成するのは戦国末期のことであったが、それもほんのわずかで落とされている。中東の城が一〇年、二〇年の攻防戦を持ちこたえているのに比べれば、あっと言う間の落城である。

したがって、中東レベルで考えれば、通常の日本の城などちょっとした出城に他ならず、それを「本城」と知った折には呆れ返られるに違いない。そもそも、石で積み上げられた城壁の堅固さがまるで違う。

その堅固さが国防の証しであり、だからこそ、いかに負担が大きくとも延々と石を積み上げ、敵の来襲に備えるのだ。それがあって初めて民が安んじられる。

すなわち、城を造るということは籠城が絶対の条件だ。したがって、そこでの暮らしは何はともあれ営まれる。この感覚が日本にないのだ。

しかし、戦国時代の城塞はまだ何とか中東と比較できる。これが平安時代ともなれば、話にならない。都である平安京でさえ城壁が全くないのだ。だから、かの地が長安を真似たというのは明らかな虚偽申告だ。長安城はその名の通り、町全体が巨大な城壁で囲まれていた。その事実がすっぽりと抜け落ちている。日本とユーラシアの都市感覚はこれほどまでに違っている。

一方、その対極にあるベドウィンの感覚も日本人とはまったく異なる。彼らは砂の海を背景に定着民と対峙した。彼らに定着民のような社会的連帯は要らなかった。和の精神も要らなかった。他人への気遣いも要らなかった。

連帯が必要なのは、ただ敵と戦う時だけ。しかも、その目標（略奪）が達成されれば、後は野となれ山となれだ。その時は潮が引くように引き上げた。アラビアのロレンスが嘆いたように、少しでも力を抜けば掌からこぼれ落ちる砂のように飛散してしまうのだ。事実、ロレンス率いるベドウィン軍は、本隊に先んじて入城したダマスカスをあっさり放棄し、三日も待たずに霧散した。

ちなみに、彼らの願いは単純だ。まずは降雨と草地の繁茂。次いで家畜の繁殖と一族の繁栄。これに略奪の成就が追加される。

この精神がイスラム教の教えと抵触した。そのため、彼らの信仰は、きわめて怪しげなものになった。彼らはやらずぶったくりを行いながら、必要な時だけ神を信じた。身内が殺されたと聞くに及ぶや、血の復讐に狂奔した。ムスリムは皆平等だと言う口の先から自らの血筋を誇り合った。

全てこれ、イスラム教に反するものばかりである。彼らは神を怖れたが、その実舌をペロリと出していた。定着民（とりわけ都市住民）に篤信者が多く、ベドウィンに少ないのはこのことからもよく分かる。

したがって、イスラム教を砂漠の宗教というのは地理的には正しくとも、社会的には合っていない。イスラム教は都市商業民にはフィットしても、砂漠の住民にはなじまなかった。とりわけ、初期イスラム期には変なムスリムばかりが誕生した。

これは、都市に篤信者が少なく、田舎に篤信者が多い日本と正反対の姿である。

日本人がこの世界を理解できないのはこうしたことにも依っている。

15　汝の名はケンタウロス

では、ベドウィンとはどのような人間なのか。ここではそれを、牧畜文化が最も残るアラブ・イスラム世界で見てみよう。

まず何よりも目立つのは、彼らが家畜と共にあることだ。それは、信じられぬほどの結びつきで、ほとんど不可分といっていい。この存在を文明史家のアーノルド・トインビー（一八八九–一九七五）は「ケンタウロス」と命名した。ギリシア神話に登場する「上半身が人であり、下半身が馬なる人獣」である。言いえて妙だ。馬や駱駝に跨った彼らほどケンタウロスに似合った者は他にない。

彼らの眼は、常に家畜に注がれる。草も木もすべては家畜を通して評価される。家畜にとり快なるものが善であり、不快なものが悪である——これがすべてで他にない。

それが嘘でないことは、餌が豊富な大地（草原地帯）を見る眼が語っている。

何とも安堵した表情なのだ。とりわけ、草をたらふく食っている家畜を見る眼はそうである。彼らは家畜を通して自然を見、ついには家畜そのものになって自然を見る。例え我々から見て、自然（漠地）がいかに不毛なものに見えようとも、である。それは、青々と実った稲穂を見る農民の眼と同じである。

ちなみに、ここで言う「不毛」なる語も、ある種の誤解を含んでいる。実は、彼らにとっての砂漠とは決して不毛なものではない。それは、農耕に向かなくとも牧畜には向いており、植物には不適でも家畜には最適なのだ。

ただし、それによる盲点も出現する。農耕社会が未発達であるために労働の意味が分からないのだ。アラブ史家のヒッティー（一八八六－一九七八）は、これをアラブ・イスラム世界の悲劇と見た。事実、この地の労働は、下賤のやることと見られている。アラビア語の言うファッラーヒーンとは農民を指す言葉だが、それは差別用語でもあるのである。

それは神話時代からそうであり、神は農作物の献納より犠牲獣の献納を遥かに喜ばれるのが常だった。いや、それよりも何よりも、こうした農作業に見られる労働は、神の懲罰だという観念がこの地にはある。それはアダムとイブが楽園から追放され額に汗して働かなければならなかった神話からも容易に分かろう。

これは、日本人の持っている世界観とはまるで違う。つい最近まで日本人の原風景は何と言っても水田だった。水田が遥かに広がり、稲穂がたわわに実る風景だ。それを実現するためにこそ、営々とした労働が営まれた。日本人はそれを二千年余り続けてきた。いや、おそらくそれ以前から、日本人は働くこととともにあった。それは神話時代から続いており、日本人の祖先神アマテラスが機織りを業としていたことからもうかがえる。

だから、日本人への懲罰は労働の禁止である。働くことを妨げられることこそが、存在意義を喪失する最も苛烈な懲罰なのだ。窓際族になることが最大の懲罰になる現状はそれを見事に示している。

そのような日本人が、砂漠やベドウィンをどう見るかは言うまでもない。砂漠はあくまで不毛の地で、そこに生きるベドウィンの世界観や行動は不可解以外の何ものでもない。両者は全く異なる自然の中で、正反対の世界観（文化）を育んできたのである。

16　もてなしと略奪と

再度繰り返すが、砂漠は空虚な大地でありながら、不毛の地では決してない。とりわけステップはそうである。しかもそこには自由がある。ひとたびその地に踏み込めば、何の規制も及ばない。

これがいかに人の心を解き放つかは、次の詩が示している。

嫌だ、まっぴらだ。
他人（ひと）の指図は受けはせぬ
こっちから、むこうをみんな馬にして
思いのままに乗りまわすだけ

（井筒俊彦『イスラーム生誕』中公文庫）


この精神は、砂漠の自然を背景に初めて成り立つものであった。

広い大地、果てしない砂の海！　そして、何者にも拘束されない絶対自由！

と同時に、彼らは強い相互扶助の慣習も持っている。それは砂漠を旅すればよく分かる。

夕刻、旅人はその日の宿舎にハイマ（幕舎）を探す。そして、ハイマに近づけば、中から主人が顔を出す。そこで行われるのがタスリームと呼ばれる仁義である。

まずは、出自を名乗り合い、機嫌伺いを延々と取り交わし、その地の情報（アフバール）を交換し、気に入ればそれで決まりだ。駱駝をハイマの者にまかせ、後は客人としてもてなされる。

これをディアーファ（接待）という。

ディアーファは、通常三日を限度として、この間は無条件で滞在できる。また、その安全を保障される。

これは、砂漠の掟でも最重要のものであり、ハイマ側にそれを断る権利はない。例え、仇敵がやってきても、ディアーファやアマーン（安全）の方が優先される。ベドウィンにとり、客人を敵の来襲と自然の脅威（水や食料の欠乏）から守ることは絶対的な掟なのだ。要するに、ハイマにいったん入ってしまえば、とにもかくにも「安全」なのだ。

では、もしハイマ側がその慣習を守らなければどうなるか。その時は、彼らの名誉（シャラフ）

が失墜する。そして、耐えがたい汚名を着せられる。

ただし、旅人の逗留は三日が限度で、それを過ぎると状況は一変する。ただちに、ハイマ側の略奪が開始される。しかも、全く悪びれず、旅人の眼前で荷を漁る。彼らはごそごそと手を突っ込んで荷をかきまぜ、めぼしい獲物を物色する。

私は、ハイマに長く滞在しなかったため、あまり被害に遭っていないが、やられた者の報告では身を切られる思いがしたという。ベドウィンの精神は、接待と保護が終わった瞬間、やらずぶったくりに変身するのだ。アラビア遊牧民は、このような慣習の下で生きている。

ちなみに昨今、こうした習慣はかなり無くなりつつあると言うが、それはアラブの根底に牢固として残っており、絶えることなく続いている。

17　映画「アラビアのロレンス」

デイビット・リーン監督、ピーター・オトゥール主演の「アラビアのロレンス」はアカデミー賞を取り、大ヒットを飛ばした映画である。私もたいそう気に入って、くり返し見た覚えがある。

何より砂漠の情景が美しい。とりわけ、地平線の彼方の蜃気楼から黒い人影が揺らめきながら現れる場面はこれ以上なく幻想的で美しい。

その時代背景は第一次大戦下。大英帝国のカイロ情報局のアレンビー将軍（エドムンド・アレン

ビー 一八六一―一九三五）が、アラビア半島紅海岸のヒジャーズを治めていたハーシム家と提携し、ベドウィン軍を率いながら、ヒジャーズ鉄道への破壊工作などオスマン・トルコへのゲリラ活動を敢行し、ダマスカスに進軍する物語である。

そのロレンスを囲む脇役も個性派ぞろいで、主役のピーター・オトゥールを食ってさえいる。オマー・シャリフ（ハリト族の族長シャリーフ・アリー）も、アレック・ギネス（ハーシム家のファイサル王子）も、アンソニー・クイーン（ハウェイタット族・族長）も名演技で、中でもアンソニー・クイーンの族長ぶりは秀逸だった。

その強欲さも、強烈な自尊心も、自己の名誉を事のほか気に掛けるその態度も、本物のベドウィン以上にベドウィン的なものとなっている。アカバ砦を落としたものの期待していた金庫の中に札束しかなかったことに怒り狂い、ヒジャーズ鉄道の列車襲撃で馬群を得ると残る味方に目もくれずとっとと引き上げ、ダマスカス占領の折の会議では机上に土足で駆け上り自らを侮辱したオマー・シャリフ（シャリーフ・アリー）とやり合う姿は、まさに砂漠に生きるベドウィンの面目躍如だ。ファイサル役のアレック・ギネスも見事だった。おそらく、本物のファイサルであれば、このように言いこのように振る舞うであろう姿を遺憾なく演じている。

そして最後のロレンスの失望。彼の活躍は、一つとして実ることなく、戦後はアラブの独立もなく、提携したハーシム家は中央アラビアを拠点とするサウード家に追い落とされ、惨憺たる結果をもって終息する。

そもそも、「アラビア（半島）の支配者がハーシム家になる」とするロレンスの、いやカイロ情報局の見解が間違っていた。実は、ロレンスと同様、インド総督府からも工作員（セント・フィルビー）が派遣され、こちらはサウード家を支持するよう報告を上げていた。

ところが、大英帝国はカイロ情報局（アラブ局）の報告を取り上げ、その結果は非常に高くついてしまった。サウード家が勝ったため、アラビア半島の油田地帯を失ってしまったからだ。さらに大英帝国は、フランスとの密約（サイクス・ピコ協定）を優先し、アラブの独立やユダヤ人のパレスチナでの国家建設の約定を反故にしてゆく。それが今に至るパレスチナ問題の元凶を作ってしまった。

ファイサル王子の言葉がその未来を暗示している。「もう、ここには勇者は要らない。後は老人の仕事（外交）である」と。その老人の仕事の結果が、右の英仏の密約だった。

実は、それ以前、すでにロレンスの役割も終わっていた。正規軍に先駆けてダマスカスを占領するが、その運営は混乱を極め、わずか三日でベドウィン軍は引き揚げて、全ての支持者が霧散してゆく。「ベドウィンは砂だ。固く握りしめないとばらばらになってこぼれ落ちる」――ガランとした会議場に立ち尽くすロレンスの姿は、そのことをこれ以上なく示している。

映画は、砂漠の美しい情景と、そこに生きるベドウィンの姿を背景に、ロレンスの光と影を見事に映し出したものとなっている。

18　血族は宗教を上回る——アラブの本音

アラブ、とりわけ砂漠のアラブは、そのほとんどがムスリムになっているが、それはかなり怪しいムスリムだ。

それを実感したのが、サハラ砂漠の旅（駱駝の旅）であった。中でもモーリタニアの砂漠には鮮明な記憶が残っている。その地で私が見たものは、現れては消えてゆく無数の部族の風景だった。商業の民イダワーリーが、家畜への愛を誇るバーリカッラーが、狩猟の民イダイシュッリが、武勇の誉れ高いアウラード・ガイラーンが、西アフリカ一帯に生息するクンティーヤが眼前に現れては消えていった。

そこで最も驚いたのは、案内人の揺れ動く心情だった。そもそも自部族（イダワーリー）のテリトリーを抜け出たとたん、まったくの腑抜けになってしまった。

それは孤独の意識から来る強烈な怯えであった。

「お前の部族はもういない。この広い大地でお前を支え、手を差し伸べてくれる者は誰もいない。その時、病にかかり他部族に襲われればいったいどうする。お前を助けてくれる者のいない地で果たしてお前はどうするのだ」

この声は、抑えても抑えきれないベドウィンの怯えである。「部族がいなくとも、アッラーが支えになるはずだ」という者がいるならば、お門違いも甚だしい。それはベドウィンの精神をまるで何も分かっていない。

彼らは血をもって契り合った者たちだ。その契り（アサビーヤ）は何より重い。自己がいかに窮状でも、血族が援助を求めてきた場合には、何を置いても履行する義務を負う。それが砂漠に生きる部族の掟というものだ。

だが、いったん血族外の者ともなれば、この限りではまったくない。極端に言えば、どのように扱ってもかまわない。だから、部外者同士が交わるには、常に親愛の情をアピールし、敵意のないことを示す他に道はない。彼らが驚くほど頻繁に訪ね合い、度外れた歓待をし合うのはこのことがあるからだ。横から見ていると、髭面の男どもがはっしと抱き合い、頬擦りをする光景は何とも言えないものがあるが、少しでも交歓を怠れば、次の出会いでどんな目に遭うか分からないため、ついついオーバー・アクションになるのであろう。

「やー、兄弟よ、お前に会えてすごく嬉しい」

「神に称えあれ、わしの方こそこれ以上なく幸せだ」

とか言い合って、延々と抱き合っている。逆に言えば、それをしないと心配なのだ。事実、隣り合って住んでいて、一日でも訪れないと「いったいどうした。俺が嫌いになったのか」と不安そうに尋ねてくる。彼らには、強度の確認強迫がこびりついて離れない。

それもこれも、みな赤の他人が潜在的敵対関係にあるからだ。有名なベドウィンの略奪とは、こうした血族内外の二重規範に依っている。

血族内には有無を言わさぬ相互扶助を、血族外にはやらずぶったくりを！

これが彼らの生き方なのだ（ベドウィンは、時に身内の者をも標的にする場合があるが、それはまた後の機会にゆずることにする）。

ちなみに、アラブの血族はいとこ婚がポピュラーであることから、部外婚制（イクソガミー）を取っていない。その点、同じ父系制でも、中国の宗族とは全く違う。中国の宗族は血族内の婚姻を蛇蝎のごとく忌み嫌うが（同姓娶らず）、アラブでは部内婚は常態なのだ。と同時に、姓のないアラブではその父系系譜を具体的な父祖名をもってつないでゆく。例えば「アハマドの子にしてムハンマドの子にしてアブドッラー」と言う具合に、である。通常は三代で打ち止められるが、「言え」と言われれば延々と述べ続け、部族の祖を経て、時にはアダムまで遡る。かのサッダーム・フセイン（元イラク大統領）も、この系譜にえらくご執心であったようで、自らの系統樹を捏造し、これみよがしに飾っていた（何でもその系統樹は預言者ムハンマドにもつながっていたという）。この場合重要なのは、父方が誰かということで、母方の素性はほとんど問題にされえない。だから、母方が誰であっても、当人の経歴は傷つかない。加えて、養子は血族内に限定され、決して血族外には求めない。いわゆる「異姓養わず」である。このような父系系譜はユダヤ人も同様で、われわれはそれを旧約聖書（たとえば創世記や歴代誌）で知っている。

では、こうした血縁共同体が商取引に参加すればどうなるか。

その時は、部外者へのぶったくりが常となる。いやむしろ、それは奨励されてもいるのである。ベドウィンのガズー（略奪）はその代表的な例であるが、商人にも多少なりともその傾向が存在する。

だからこそ、その危険を避けるため、他人同士は常に親愛の情を交わし、商取引にも手心を加える必要が生じてくる。賄賂がこの地に必須なのはこのことも関係している。

だが、この段階をクリアーすれば、関係も深くなり、契約はその通りに守られる。極端に言えば、口約束だけでも成立する。むろん、賄賂の額も少なくなり、共に利益を得ようとする態度が生まれてくる。それもこれも「関係が深くなった」という新たな条件が入ったからだ。

このように、人間関係の強弱で社会関係（この場合は商取引や略奪）が図られるのが当地の人間関係だ。ここが同じ一神教でありながら、生々しい人間関係を捨象した欧米とはまったく違う。商取引で言えば、アラブで値切りが常となり、欧米（近代社会）で定価が常となるのはこの事があるからだ。

このように、アラブの血族関係は、他の一切の社会関係に優先する。商取引に限っても、ほとんど無償奉仕に近い例がまま存在する。血族内の富裕者が無条件で仕事を与え、好条件で売買契約を結ぶからだ。それは、富裕者の社会的義務でもあるのである。

したがって、彼らの危機は、血族から切り離された時に始まる。それは、無一物で放り出されたはぐれ者にも似る戦慄だ。イスラム教はそのような血の拘泥を否定したが、それはアラブの深層に未だ浸透していない。ここにイスラム教とアラブ的精神の衝突と葛藤が存在している。

19　物言う家畜とイスラム帝国

以上のように、イスラム教はオアシス定住民（商業民）と砂漠的人間（ベドウィン）とのせめぎ合いと共存の中から誕生した。だから、この地の世界帝国はおしなべて都市商業民の経済力と遊牧民の軍事力が結びついたものである。中でも後者は、イスラム世界を非常に特異なものにしてゆく。

例えば、中東最後の世界帝国たるオスマン帝国は、まさに牧畜社会の形態を反映したものであった。なぜなら、彼らは、支配下に組み込んだ諸民族を家畜とみなしその上に君臨していたからである。それは、彼らが、畜群の上にまたがって暮らしていたのと同じである。

要するに、彼らは被支配者（被支配諸民族）を家畜と見なし、それを搾取することで生計を立てていたのだ。

もとより、それは、彼らの軍事力に依っている。

もともと、彼らの暮らし向きは、正業たる牧畜と副業たる（定着民への）略奪の二本立てから成っていた。この地の牧畜民は、農民が刈り入れするのを待ち構え、それを終えた瞬間に、その富の一部をかすめ取っていたのである。「農民が刈り入れし、それを遊牧民がもう一度刈り入れする」とは、よく言ったものである。彼らは、こうして遥かに長い年月を牧畜と略奪に明け暮れていた。

ところが、彼らの軍事力が増すと同時に、この形態が変わってゆく。すなわち、一時的な略奪は、次第に常態化されてゆき、定着民を恒常的に支配する遊牧帝国へと発展する。つまりは、副業であった略奪を正業化したというわけだ。

ここに、物言う家畜（人間）を支配する世界帝国が出来上がった。こうした物言う家畜を飼育・育成することこそ、ウォッチマンたる彼ら（オスマン貴族）の役割だった。

よくわれわれは、なぜかくも遊牧帝国があれだけの多民族をまとめ上げ、大帝国を作り上げたかと驚くが、それにはこのような秘密があったのだ。彼らは、征服した定住社会の上に飛び乗り、物言う家畜を飼育して、支配の完成を見たのである（アーノルド・トインビー『歴史の研究Ⅰ』長谷川松治訳、社会思想社）。

オスマン朝は、それを最も執拗かつ大規模に推し進めた国であった。その結果、宰相や軍事司令官までが被支配者（奴隷）から登用され、ついには皇帝に至るまで奴隷の血が混じってゆく。日本は家畜をヒト化するが、彼らはヒトを家畜化するのだ。

その代表例が、奴隷官僚たるエフェンディー（文官）やイェニチェリ（武官）で、拉致連行したクリスチャン子弟を改宗させ、国家の運営に当たらせた。彼らがなぜ信頼されたかははっきりしている。ルーツを断たれた彼らにあっては、スルターンに忠誠を誓うほか術がなく、最も忠実な奴隷官僚になったからだ。それは、自由民を採用した場合と比べて見れば即座に分かる。強力な血縁集団に帰属している彼らにあっては、一族への帰属意識が優先し、いつ何どき反旗を翻すか分からない。

そこへ来ると、奴隷官僚は、彼らが奴隷である限り、その生殺与奪権はスルターンが握っており、有無を言わさずその意志を押し付けられた。文字通り、煮て食っても焼いて食ってもいい者を官僚にしたということだ。後にイェニチェリが肥大化すると、彼らの意に添うスルターンを擁立するようになってゆくが、それは後期のことであり、それまではスルターン絶対制の支持母体となっていた。権力者にとり、これほどうま味のある体制はない。

この場合、イェニチェリが強かったのは、当時の世界には珍しい常備軍であったからで、ならず者をかき集めた傭兵部隊を主力とするキリスト教軍は歯が立たなかった。彼らがイェニチェリと対等に戦えるのは、国民国家の組織した国民軍の登場を待たなければならなかった。

こうした奴隷官僚は、トルコ系遊牧民が軍人奴隷として流れ込んで来た時に始まり、軍人奴隷アイバクがマムルーク朝スルターンになった時を経て制度化され（一三世紀）、オスマン・トルコにまで引き継がれた。ちなみに、マムルーク（所有される者）とは奴隷を指すアラビア語である。

20　巡礼キャラバン

かつて、サハラ砂漠には、縦横にキャラバン・ルートが走っていた。

そのルートを辿るように、通商が行われ、戦闘部隊が行軍し、そして巡礼団が行き交った。とりわけ、メッカ巡礼は当地の一大イベントで、サハラ全域から巡礼者がやって来た。これは大変なことで、大西洋岸のモーリタニアを出発すると、まずはエジプトのカイロに到着し、そこで巡礼団を編成しメッカに向うが、カイロまでで半年余り（七〜八か月）かかるため、その行程をクリアするだけで至難の業だ。それが、往復ともなると一年以上かかってしまい、途上で路銀が欠乏し、怪我や病いに苛まれ、果ては社会的トラブル（強盗団の出現や政治的紛争）に遭遇するため、無事に帰郷できるかの保証はない。したがって、メッカでは巡礼に来たものの、帰れなくなった巡礼者が沈澱し、その子孫たちが未だに多く暮らしている。いや、交通の発達した今でさえ、沈澱者が後を絶たない。これが、この地を管轄するサウジ政府の頭痛の種となっている。

こうしたことから、メッカ巡礼を果たした者はハッジ（巡礼経験者）として尊敬される。とりわけ、遠距離から巡礼に行った者はそうである。また、自分で行けない場合には、代理人を指名して行かせる場合も存在する。

私もサハラを旅してたびたび聞いたが、駱駝でさえ大変なのに、徒歩で巡礼に赴く者もいたという。こうなると、巡礼が人生の価値そのものと直結する。何年もかけカイラス山に五体投地を続けながら行われるチベット仏教の巡礼者にも感動したが、メッカ巡礼もそれに匹敵する価値がある。宗教的情熱は、時に信じられない力を出す。

ちなみに、この巡礼ルートは、サハラ全土に網の目状に張り巡らされた交易ルートに乗っているため、ある種の商業路としても機能した。その場合には行く先々で商取引を重ねながら旅をする。また、同族・同郷のネットワークも存在しており、その上に乗った形で旅を続けることも可能だった。

もともと、イスラム教は商業を基盤にしている。したがって、「宗教」即「商業」となる場合が一般的だ。そこが、ともすれば、禁欲的になりがちな他宗教との違いである。また、この商業的な宗教は、イスラム法（シャリーヤ）の保護を受け、イスラム世界のどの地域でも単一の法的保護を受けられた。つまり、西はマグレブ（北西アフリカのチュニジア、アルジェリア、モロッコのあたり一帯）から東はミンダナオ（フィリピン南部）に至るまで、同じ法が適用されるということだ。

これが、どれほど交易に役立ったかは計り知れない。イスラム世界に手形を初めとする銀行業務が発達したのは、このことがあるからだ。加えて、この地は、遊牧社会の軍事力が突出していた。前近代のイスラム帝国があれほど広範囲の地域を支配したのは、この商業と軍事が結合したからに他ならない。イスラム世界は、宗教・商業・軍事・法が一体化した稀に見る世界帝国であったのだ。

ただし、ここから、問題が起きて来る。

この商業帝国からは、資本主義は生まれなかった。なぜか？

答えは一つ。これは、今でもそうなのだが、イスラム社会は、労働に重きを置かない。それどころか、労働を蔑視する観念が蔓延している。神は商業を認めたが、労働を価値あるものとは言わなかった。これが、致命的に祟ってしまった。したがって、労働を隣人愛と認識する禁欲的プロテスタントと全く違い、それを社会の基盤とする産業資本主義を用意することができなかった。また、この社会は、近代社会が前提とする時間的計画をまるで無視するところがある。これが、西欧社会に押しまくられる社会的要因である。

「宗教」即「商業」のイスラム世界は、「政教分離」即「労働」の西欧世界に勝てなかったのである。

21　メッカ巡礼

メッカは巡礼の聖地として、ジハードと共にイスラム教が生んだ世界語となっている。確かにそれは、世界語になるだけの価値はある。

何せ巡礼月もなると、世界中から二〇〇万ものムスリムが押し寄せて、押すな押すなの大盛況となっている。

メッカが近づくにつれ、巡礼者の心は昂ぶる。

「ラッバイカ、アッラーフンマ・ラッバイカ、ラッバイカ、ラーシャリーカラカ（我ら、汝アッラーの御許に）」――そう唱える巡礼者の絶叫が辺り一帯に響き渡る。

メッカの手前でイフラーム（縫い目のない二枚の白木綿でできた巡礼着）に着替えた巡礼者の声がボルテージを上げている。

ここから巡礼が開始される。そして、カーバ神殿のあるマスジド・アル・ハラーム（聖モスク）に歩を進める。

だが、そこは、もう無茶苦茶な人ごみだ。押し合いへし合いでまるで中へ入れない。ようやく中へ入っても立錐の余地なく人、人、人の連続だ。その人ごみをかきわけかきわけ入ってみると、立方体の建物が、キスワと呼ばれる黒い布に包まれて中庭に屹立している。カーバ神殿である。

その廻りを巡礼者が廻っている。ものすごい人の渦だ。渦は左へ大きく旋回（タワーフ）しながら、ひっきりなしに人を飲み込み、押し出すように吐き出している。

陽に照らされた地べたが熱い。大理石が熱せられて焼けついている。巡礼者の落とし物が一面に散らばっている。メガネやピン、物入れやコイン、ベルトやガラス片が至る所に落ちている。そのピンやガラス片に刺されたのだろう、血痕があちこちにこびりつく。熱射病で倒れた者も後を絶たない。巡礼者が一人病没した。周りの者がそれを称える。

メッカで死ぬとは何と幸せな巡礼者か！

その後、巡礼者は、マスジト・アル・ハラームにあるサファとマルワの二つの丘を七回駆け足でめぐって往復し（これをサーイという）、その日の宿泊地であるミナの谷に戻ってゆく。

ミナはメッカの東約八キロに位置し、本来何の変哲もない荒野（バーディア）に過ぎないが、この時ばかりは一面を覆い尽くす真っ白なテント群で被われる。何せ一〇〇万単位の巡礼者が寝泊まりする谷である。ざっと概観してみると、真っ白なお花畑を見るようだ。

巡礼月（イスラムのヒジュラ暦第一二月）九日、そのテント群が移動を始める。ミナの谷からアラファトの野（メッカの東の荒地で、アダムとイブが再会したとされる）に移動した巡礼の群れは、テントをたたみ、ムズダリファの丘（ミナの谷とアラファトの野の中間地。巡礼月九日の日没から一〇日の未明までをここで過ごす）へ移動する。

猛烈なラッシュであった。

道は車であふれ返り、その両脇を巡礼団が列を組んで進んでいる。もうもうたる砂塵が巻いている。ひっきりなしのクラクションが辺りに響き、人と車が地響きをたてて移動している。けたたましいサイレンを鳴らし、ＶＩＰを乗せたパトカーが人ごみをかき分けて突き進む。屋根まで鈴なりになった車が息も絶え絶えに停まりながら前進する。そして、ボロボロの旗を掲げながら、とぼとぼと歩く貧民たちの巡礼団。

それが真っ白なイフラームを着て白アリのように進んでいる。白アリは広い大地を埋め尽くし、巨大な帯となって前進して行く。

「これがイスラームの真の姿だ！」

感極まった巡礼者の絶叫がこだまする。

あれはハウサ系のナイジェリア人だろうか、黒い肌に白いイフラームが映えている。その傍にインドネシアか、マレーシアのアジア系ムスリムが進んでいる。さらに、それを囲むようにエジプトから来た巡礼団が辺り一帯を埋め尽くす。

ありとあらゆる民族が同じ行為・同じ儀礼の中で邂逅し、巡礼している。

ただ、それだけにやかましい。世界の喧騒が一点に集まったような場所である。

アラファトの野にある「慈悲の山」に登ってみる。

大変な場所であった。そこは慈悲とはまったく真逆で、その頂上に辿り着くと、巡礼者がすさまじい人ごみのただ中で、自分が転げ落ちないためには他人に落ちてもらおうと押しくらまんじゅうをしている最中にあった。実際、そこでは落ちて死んだり圧死する巡礼者がたびたび出る。

山から下りると、いきなり日常の姿に出会う。羊を売る商人（あきんど）が客と大声で激論している。常なる中東の取引だ。口角泡を飛ばして延々と言い合っている。

それでも何とか折り合うと、羊は客に引き渡され、ただちにその場で屠殺され、皮を剝かれて解体された。見ていると、流れるような手さばきだ。臓物がするすると引き出され、四肢がばらばらに裂かれた上で、木の棒に吊るされる。

だが、その環境は見るからに不衛生だ。その横では、アフリカ人の婆さんがうんこの真っ最中であり、その隣では子供たちがおしっこを垂れ流している。むろん、そこにはハエの大群が押し寄せて、真っ黒になってたかっている。

だから、巡礼には伝染病が付き物だ。コレラが流行って大変だった年もある。

そのためだろう、消毒を行うため、空から空中散布が行われる。そのため、巡礼者は皆黴菌扱いだ。これは非常に不評だが、衛生のためにはやむを得ない措置であろう。

だが、事は伝染病だけではない。プロパンガスの大爆発が起こったり、巡礼のチャーター便が機内でお茶を沸かそうとした巡礼者のため爆発炎上したり、武装グループによる聖モスク占拠事件が起こったり、イラン巡礼団の武装デモを鎮圧するためサウジ当局が発砲したりと、あらゆる問題が起こっている。

無理もない。そもそも、同じムスリムと言っても、民族も文化も習慣も何もかも違う者が一同に集うと、問題が起きない方が不思議である。だから、ありとあらゆる連中が放り込まれ、これ以上ないカオスを演出している。どでかいドンゴロスの大袋に鍋や釜を放り込んだ難民と見間違う一団から始まって、一泊ン十万もするホテルに泊まり、ふんぞり返って巡礼する成金の巡礼者、さらには病魔に襲われ、金欠に苛まれ、もはやこれまでと開き直った巡礼者に至るまで、一通りそろっている。

そのような連中が、とにもかくにも同じプロセスを踏む中で巡礼を行うのがイスラム教の特徴なのだ。

　その最後の仕上げが悪魔への投石（ムズダリファで拾った石を悪魔の型をかたどった大中小の三柱に投げつける儀式）である。

　これがまた問題なのだ。

　まずは、その場所なのだが、高速道路の下にあった。悪魔がいる場所なので、きれいな場所である必要はないのかもしれないが、これではあまりに気の毒だ。しかも、コンクリートでがっちり固められているために、味も素っ気もありはしない。

　加えて、それに石を投げつける巡礼者もひどかった。石は雨あられと悪魔に向って降り注ぐのだが、後ろから投げた石が前列の巡礼者にボコボコとぶち当たり、幼い子など血だらけになって泣きわめいている。さもあろう。見ると、こぶし大の大石が飛び交っている。しかも、一人七個と限られているにもかかわらず、面白がって何度でも投げている不埒な輩が大勢いる。これが、宗教行事かと見間違うほどである。

　だが、カオスはこれに留まらない。

　犠牲祭にもなると、これがさらにエスカレートする。

　犠牲祭は、預言者イブラヒームが息子イスマイールに成り代わって羊を生贄にした故事にちなんで、巡礼月一〇日に屠殺した家畜の肉を貧者に供する行事だが、それを今では二〇〇万人もの巡礼者が行うまでになっている。そのため、無数の家畜の屠殺が不可欠になる。

現場を見た友人に聞くと、実際すさまじい家畜の大量屠殺が行われたという。それは、とうてい見るに忍びないもので、頸動脈を切られた家畜が文字通り辺り一面に打ち捨てられ、大流血を呈していたらしい。本来の趣旨から言えば、巡礼者一人一人が生贄の家畜を自ら買って処分すべきなのだろうが、実際には代行者がまとめて引きうけて、屠殺業者に一任している。したがって巡礼者は金は出すが、犠牲獣がどこでどのように処せられるかを全く知らない。

かくして、巡礼はカオスの中で終了するが、その後巡礼者は別れのタワーフ（黒石のまわりの旋回）を行って、めでたくハッジを終えてゆく。

以上が巡礼のプロセスだが、これをどう評価するかは異教徒の語るべきことではないであろう。全ては、カオスとコスモスの相克のただ中で遂行される一大イベントなのである（小滝透『さらばネフドの嵐』第三書館）。

22　ユダヤ人はなぜ賢いのか

ユダヤ社会が稀に見る俊才を生み出すことはつとに知られたところである。また、その理由についても盛んに言及されてきた。その理由はさまざまあるが、まず挙げられるのが学問の聖化であろう。つまり、学ぶことを宗教で正当化したということだ。

これは大変な革命で、ほとんどの宗教は信仰の下に理性を置き、時には信仰の妨げになるとして徹底して排除している。

ところが、ユダヤ教はその逆に、学問を通じた神への道をあらゆる信徒の義務とした。となれば、ユダヤ人たる者、学ばなければ宗教的義務を放棄することになってしまい、ここに学問研究を自己目的化することになってゆく。

これを他の社会、例えば日本と比べてみれば、その特徴がはっきりしてくる。

日本では、学問は出世・栄達の手段になることが多かった。明治期に登場した「末は博士か大臣か」との諺は未だ生きているのである。

これは、学歴をもって支配者と非支配者を選り分ける階層化の宿命なのだが、それにしても、それが露骨に出た場合は非常な弊害が生み出される。当世の受験戦争がその代表的な例であるが、学問を生業とする研究者でさえ手段化が垣間見られる。その証拠には、教授の地位を得たとたん、研究を怠ける者が後を絶たない。

これ全て、学問を自己目的化していない証拠である。

ここがユダヤ社会と全く違う。ユダヤ社会は、学問が神（の叡智）を知る行為となるため、それをやらざるをえないのだ。それは、一般社会のユダヤ人にも当てはまり、知的追求の伝統は彼らの中にも生きている。

これが、ユダヤ社会全体の知的レベルを底上げする。老若男女のあらゆる者が知的世界に参入するため、その層が驚くほど厚くなるのだ。

この裾野から圧倒的な知識人が量産される。近代の歴史をたどっても、スピノザ、モーゼス・メンデルスゾーン、カール・マルクス、ローゼンツバイク、マルチン・ブーバー、ジャック・デリダ（哲学）、カフカ、ハイネ、トーマス・マン（文学）、シェーンベルク、クライスラー、ハイフェッツ、ホロビッツ、バーンスタイン（音楽）、モリジアニ、シャガール、スーチニ（美術）、ディズレイリ、トロツキー、プレハーノフ（政治）、ワッセルマン、バラニー、エーリッヒ、ミュラー、ワクスマン、ジョナサン・ソーク（生理学）、フロイト、フロム、アドラー（心理学）、マイケルソン、アインシュタイン、オッペンハイマー（物理学）等々とそれこそ枚挙にいとまない。しかも、これでもほんのわずかなのである。

もう一例挙げてみよう。ユダヤ社会には、トーラー（モーセ五書）の暗記を伝統として持っている。それを幼少期から開始して、成人式（バル・ミツバ。男子、一三歳）までに全うするのが彼らの社会の基本である。

こうした伝統がユダヤ社会の知的水準を押し上げた。膨大な暗記により、非常な知的刺激となったからだ。

これがどれほどすごいものになったかは、読書の際に現れる。驚くなかれ、その全文をコピー機にかけたように暗記してゆくという。これは、一般に、写真記憶と呼ばれているが、まさに驚くべき能力だ。

それについて、ユダヤの小話が残っている。ある人がラビに大部の著書を貸し与えた。と、その三日後に、ラビが来て、こう言った。

「これはなかなか面白い本でしたよ。ありがとう」

貸主は、本当にラビがそれを読んだかどうか怪しんだ。そこで「どの部分が面白かったか」と聞いてみた。

次の瞬間、貸主は仰天した。何とラビは、一字一句違わずに、その部分を再現して見せたのだ。だが、翻って考えれば、こうした才能（写真記憶）を持つ者はどの社会にも存在する。日本の場合も南方熊楠（一八六七―一九四二）がそうであった。彼が大英博物館に通っていた頃の逸話である。図書館内で読破した書のほとんどを記憶してしまったというのである。

熊楠は、近代日本の生んだ屈指の天才と称えられるが、その裏にはこのような能力があったのだ。

にもかかわらず、ユダヤ社会が特異なのは、その能力を組織的に引き出したことである。具体的には、ユダヤ社会全員に聖典暗唱を義務付けたことにより、そうした才能を開花させる機会を増やし、それを社会的に愛でたのだ。その結果、幾多の熊楠が世に出る機会を保障した。ユダヤ社会が稀に見る教育社会だと驚嘆される所以である。

そうした愛智を最もよく表したエピソードが残っている。

対ローマ戦争の折である。エルサレムを包囲したローマの将軍ウェスパシアヌス（九―七九）のもとへ一人のラビが城内から逃れてきた。名はヨハナン・ベン・ザッカイ（後一世紀。生没年不詳）。ユダヤ社会にその名を知られた高名なラビである。

そこでベン・ザッカイは不思議な予言をウェスパシアヌスに向って言った。

「あなたは将来、ローマ皇帝になるであろう」と。

それを聞いたウェスパシアヌスは彼に聞いた。

「その折にはお前の希望を適えてやろう。お前は何を望むのか」

ベン・ザッカイは答えた。

「ヤブネに行き、そこで弟子たちを教えたい」

ウェスパシアヌスは、その程度のことでいいのかという顔でそれを許した。

この瞬間、ユダヤ社会は首の皮一枚残して生き延びた。

ここに、劫火の中でエルサレムが陥落する中、ほんの小さな学塾が誕生し、やがて学問の一大中心地になってゆく（小滝透『神の世界史・ユダヤ教』河出書房新社）。

ユダヤの叡智は、このような伝統の中、育まれていったのである。

23　ユダヤ人はなぜ嫌われるのか

だが、そうしたユダヤ人の存在は、クリスチャンから猛烈に嫌われた。しかも、その嫌われ方が並大抵ではない。それこそ蛇蝎の如く忌み嫌われた。

なぜか？　なぜ、それほどまでに嫌われなければならなかったのか？

それにはさまざまな理由があろうが、ユダヤ人がイエスを殺したことがまず挙げられよう。欧米のクリスチャンは言う。「神の子イエスを磔にして殺したのはユダヤ人だ。故に、彼らは神に呪われた民である」と。

だが、これはおかしな話だ。そのような事を言えば、殺されたイエス自身がユダヤ人ではなかったか。

つまり、欧米のクリスチャンは「最も尊敬しなければならないイエスの出自（ユダヤ人）を最も憎まねばならぬ」というこれ以上ない矛盾を抱え込んでしまったのだ。

これがユダヤ人への対応をきわめて不安定なものにした。彼らが、ユダヤ人に過剰に擦り寄り、かつ激しく憎悪するのはこのことがあるからだ。

まだある。

それは、西欧に広まったキリスト教が、土着の神々を皆殺しにする中で広まったという歴史による。つまり、西欧のクリスチャンたるや、祖先の最も尊んだ神々を全否定する中でクリスチャンになっているのだ。

これが、キリスト教への愛憎を決定的なものにした。つまり、敬虔なクリスチャンになればなるほど祖先の信仰を否定せざるをえなくなり、祖先の神々を尊べば尊ぶほどキリスト教を否定しなければならないというジレンマに陥ったのだ。

加えて、彼らはほぼ全員がクリスチャンになっている関係上、キリスト教を否定するわけにも行かず、かと言ってその憎しみはとめどなくこみ上げてくる。

その時発見されたのがユダヤ人の存在だった。ユダヤ人はイエスを殺した輩であり、同時に祖先の神々を殺戮したキリスト教の母胎であった。しかも、社会のマイノリティーだ。これ以上、格好の標的はない。

そのため、西欧キリスト教社会は、ユダヤ人を常に排斥し続けた。これ全て、こじれにこじれた葛藤のせいである。

クリスチャンでない日本人には（いやクリスチャンである日本人にも）、反ユダヤ主義など荒唐無稽なものにしか見えないが、欧米のクリスチャンには切羽詰まった心理的欲求だったのである。

24 神は恋愛至上主義を愛でたまわぬ

イスラム教では、神との契約を無視した行為はいかなるものでも認められない。むろん、結婚契約もそうである。

だから、イスラム世界では、互いに愛し合っている男女でもそれだけでは一緒になれない。家族同士が認めてもなおできない。それは神（具体的にはイスラム法）の許しを得た契約を交わさなければ一切が無効になる。したがって、恋愛至上主義は、ここにあえなく頓挫する。

この地でも「いいじゃないか、愛し合っているならば」と言いたい者は多くいようが、それは絶対に通用しない。それどころか、うっかり妊娠でもしようものならさあ大変。親たちは烈火の如く怒り狂い、五体満足でいられるかどうか保証の限りでは全くない。おまけに、これに神が加わる。

家族や社会を敵に回すだけでも大変なのに、神が加わればもういけない。恋愛が成功する望みはもはや、ない。この地には、家族に反対され、神に反対されて悲恋になった男女がごまんといる。

ちなみに、この慣習は現在でも生きており、近年ヨーロッパでベストセラーになった『生きながら火に焼かれて』（スアド著、松本百合子訳、ソニー・ミュージックソリューションズ）は未婚のままで妊娠し、肉親から火をかけられた女性の自伝なのである。

だから、この地で性的不始末をやった場合は、即座に命が危なくなる。未婚の性的交渉もそうであるし、不倫が発覚したともなればもういけない。

まず妻は、親族の親兄弟に引き渡され、有無を言わさず殺される。そうしないと、一族のイルド（性的名誉）が保てないからである。

アラブほど名誉（シャラフ）を重視する者も少ないが、イルドはその中核を担っている。そのため、これが犯された場合には、女性の処分が必須となる。

これは、日本の場合と決定的に違っており、夫に妻の処分権は一切ない。なぜなら妻は、嫁いだ後もその帰属を変えないからだ。そのため、うっかり夫が処分すれば、とんでもない越権行為になってしまい、妻の一族と大もめにもめてしまう。日本の実家では、不始末を犯して出戻った娘を何くれとなくかばってやるが、アラブではその逆なのだ。

だからアラブは、身内の女が不始末を犯さないかと常に戦々恐々で、その動向を監視している。では、夫の方はどうかと言えば、ひたすら妻の不倫相手に鉄槌を加えることに終始する。また、これがないと夫の名誉は回復しない。したがって、それこそ草の根を分けてでも探し出し、不倫相手を殺戮する。しかも、こうした殺人は、裁判でも情状酌量が非常に効くため、よけい図に乗ってそれを行う。イスラム世界で時折不可解な殺人が起こるのは、この件が絡んでいる場合が数多い。また、この名誉殺人は、ムスリムの移住先でも行われ、深刻な問題になっている。近年では、アメリカの娘殺しが話題となり、大々的に報じられた。何でも、深夜のバイトに行っていた娘の所行を性的不始末と捉えた父が殺してしまったというのである。

そう言えば、当地では「血のつながりのない成人男女が二人きりでいた場合、不倫と見なす」との暗黙の了承がある。これは、ムハンマドの時代からそうであり、彼の愛妻アーイシャがその疑惑を受けている。

このような状態である。イスラム法でもこの慣習は一部採り入れられており、不法な性交（とりわけ既婚者の不倫）は死刑（イスラム法では石打ち刑）である。

ユダヤ教も同様の規定を持っていて（申命記22：23－24など）、われわれは、姦淫の現場で捕まった女が石を投げられるところをイエスに助けられた話を知っているが（ヨハネによる福音書8：3－11）、この女は石打ち刑に遭っていたのではないかと考えられ、それを止めに入ったイエスの所行は従来の法解釈の変更を意味している。

では、どのように変えたのか？

それは、従来の法解釈が、具体的な性行為を指すのに対し、イエスのそれは内面（心の中）での姦淫を意味することになったからだ。要するに、神の規範（律法）を外面から内面に移し替えたということだ。この結果、いかなる者も他者の外面行為を裁けなくなってしまった。極論すれば、人の外面行為などは、しょせんどうでもいいのである。問題なのは内面がどうであるかが決定的に重要なのだ。

25　この地のフェミニズムは命がけ

ちなみに、聖書によれば、イエスはこうした律法無視をたびたび行い、それを質す者たち（主としてパリサイ人と呼ばれる律法学者）に「権威ある者としてお教えになった」（マルコによる福音書1：22）と記している。

この記述は重要で、イエスが自らの判断を律法より上に置いていたことを示している。

一神教の世界では、これは考えられないことである。どのような賢人・賢者も、律法の解釈は許されても新たな法を創ることは許されない。つまり、権威は創れない。権威は、神に属するもので、人に属するものではないからだ。

ところが、イエスはそれをやった。だから、権威ある者と見なされた。

それがいかに大変なことかは、アラブ・イスラム社会を見れば分かる。イエスのようなまねをすれば、ただちに火の粉が振りかかる。下手をすれば、命さえ落としかねない。

だから、この地のフェミニストは命がけだ。新たな権威を打ちたてようとするからだ。かくして、イスラム・フェミニズムの先駆たるナーワール・サーダウィー（一九三一-二〇二一。エジプトの精神科医・作家）もタスリマ・ナスリン（一九六二-。バングラデシュの医師・作家）も原理主義者の死の予告にあって亡命を余儀なくされた。前者は、イスラム教の男性至上主義を攻撃し、後者は何とコーランが間違っていると断言した。「あれは、女性を抑圧するための書である」と。

ああ！

まさに、自らの命と引き替えにした発言だった。実際、二人のもとにはすさまじい脅迫が舞い込んだ。この地で、性に関する法的慣習を覆そうとした場合は、皆このようになるのである。

ちなみに、正式な結婚をした夫婦でも、神（イスラム法）に逆らうとただでは済まない。例えば、一方の当事者がムスリムでないと分かると、結婚は無効となる。

カイロ大学アラビア語学科のナーセル・アブー・ザイド（一九四三-二〇一〇）の場合がそれに

当たる。彼が書いた論文がタクフィール規定（不信心者規定）に触れたというのだ。しかも、それを訴え出たのは、まったくの他人（ムスリム同胞団員）なのだ。

何とも無茶苦茶な話である。

だが、その無茶苦茶を裁判所が認めたのだ。

「アブー・ザイドは不信心者（背教者）と認められる。したがって、ムスリマ（イスラーム女性）である夫人とは離婚しなければならない」と。

これ以後、彼の許にはひっきりなしに脅迫が舞い込んで、オランダへの亡命を余儀なくされた。

ちなみに、イスラム世界の結婚は、男の方から女性の後見人（たいがいはその女性の父親）に結婚の申し込みが行われる。これが最も大事で、女性の意志より優先される。日本の様に両性の合意が最優先ではないのである。だから、当地では往々悲恋が起こり、それが物語になったりする。

その結婚であるが、それは同時に離婚契約が取り決められる場ともなる。ウラマー（イスラム法学者）の立会のもと、離婚時の条件をお互いに交わすからだ。さしずめ、日本なら、婚約の席上で仲人が離婚に言い及ぶようなものだろうが、その時には即座に一喝されるであろう。「縁起でもない。めでたい席に何ということを言い出すのか！」と。

しかし、ここアラブでは、それが無ければ収まらない。なぜなら、結婚離婚契約とは神と交わす契約で、人間同士が交わすものではないからだ。カトリックが離婚を認めないのも同じ理由で、「いったん神に誓った契約を反古にするとは何ごとか」というわけだ。

では、その離婚の条件は何かということになるのだが、これは夫の一方的な通告により決定される。「タラカ・タラカ・タラカ」（「離婚する」との連呼）と妻に向って叫べば終わりである。コーラン（第二章二二六―二三二）では、離婚について記され、なるだけ離婚を避け女性の権利を守るように語られているが、一般には右のような状態が人口に膾炙している。

また、夫が第二・第三・第四夫人を得ることにも我慢を求められる。イスラム法では一夫多妻は合法であるからだ。

で、こうした離婚が成立すれば、あらかじめ交わされた離婚契約に従って離婚がなされ、問題が生じれば宗教裁判で調停を申し出る。

以上、イスラム世界の男女関係について見てきたが、これがことごとく他の世界との悶着のもととなる。というのも、異教世界の法律や慣習とバッティングするからである。

では、その時はどうなるか。

イスラム法はムスリムにとっては絶対なので、「郷に入れば郷に従え」が全く通用しない。そのため、双方がお互いに自らの意志を主張し合えば、解決の見通しは全く立たない。

だから、最後はメルケル（一九五四―。元ドイツ首相）のように、こう宣言せざるをえないであろう。「国法はイスラム法に優先する」と。先に述べた通りである。

日本では、近年多様性がもてはやされ、それが時に金科玉条のように語られる。

だが、多様性もそれ自身相対的な思想に過ぎず、時にはそれを否定しなければ社会の混乱を招くだけに終わってしまう。

私もメルケルの意見に賛成だ。「国法はイスラム法に優先し、郷に入っては郷に従え」と。それが社会の基本であると考える。

26　一神教は先行する土着宗教と衝突する

宗教には、世界宗教と言われるものがある。キリスト教やイスラム教や仏教がそれに当たる。

ところで、そうした世界宗教が行き渡った地域には、元々あった土着宗教が存在していた。したがって、世界宗教がその地に入ると、土着宗教を押しのけて自らが表にしゃしゃり出てくる。このため、両者には常に緊張関係が形成され、ことあるごとに衝突を繰り返す。キリスト教は森の宗教（聖木信仰等）との戦いを繰り広げた。イスラム教は多神教（部族神）との抗争を不可避とした。仏教（日本）は神道との争いを展開した。とりわけ一神教は、自らの教え一色に精神を染め上げようとする結果、他宗派を徹底して排除・抑圧しようとする。そのため、確かに表舞台（精神の表層）からは追い出すことには成功するが、抑圧された他宗派は深層に留まり続け、ことあるごとにその表層に飛び出そうと試みる。ために当地の者の精神は両者の衝突と葛藤に見舞われることになる。

事実、キリスト教は上辺では確かに人々の信仰となりえたが、その深層には相も変わらず土着の神々が住みついて、その心を捉えていた。

したがって、キリスト教が真に浸透し終えるのは、宗教改革時代まで待たなければならなかった。

そのプロセスの中で生じたのが、大規模に行われた魔女狩りである。魔女に代表される異教信仰を撲滅しなければ、キリスト教の浸透が図れなかったからである。

だが、果たしてそれが徹底できたかどうかは定かでない。

例を挙げれば、思想や文学に現れる過去への過剰な思い入れや神々への称賛がそれに当たる。そうした事例は、とりわけ動乱期に垣間見られ、精神分析家のユングは、ナチスにとり憑いたヴォーダン（北欧神話の主神オーディン。冥界の戦闘神）をその事例として挙げている。彼は独ソ戦の折、ベルリン駅で東部戦線に向かうドイツ軍将兵を見つめながら、こう呟いている。「今ヴォーダンが戦さに出てゆく」と。抑圧された神々が、キリスト教の規制を突き破り表舞台に躍り出たのだ。

このように、ヨーロッパ人の精神は時に極端な反キリスト教意識として表出するが、ほぼ全員がクリスチャンとなっている現状ではそれを貫徹するのは難しく、キリスト教を生んだ母体であるユダヤ教へその矛先が向いて行った。「我々の祖先の信仰を蔑ろにし、死に追いやったキリスト教を生んだお前（ユダヤ教）こそ最大の元凶なのだ」と。

彼らはユダヤ人を差別し、ことあるごとに追放した。次いで、見るのも嫌だとゲットーに押し込めた。そしてついには、絶滅収容所に送り込み、ジェノサイドを実施した。

かくして、その精神は、キリスト教と土着宗教の対立から、キリスト教の背後にあるユダヤ教への拒絶となり、三すくみの確執に悩まされることになる。ヨーロッパになぜあれほどの宗教戦争が起こり、なぜあれほどの反ユダヤ主義が起こるのかはほぼこのことに依っている。


一方のイスラム教も、土着のアラブ信仰（部族的多神教や血族主義）との激しい衝突を経験していた。

この状況は繰り返し述べてきたが、要はイスラム教の血のこだわり（部族主義）を批判したことに依っている。まず、血で血を洗う部族同士の略奪（ガズー）と報復（ディア）を止めさせた。富獲得に狂奔する者たち（個人主義者）を詰問した。そして彼らを神の警告（コーラン）と武力（多神教徒との三度にわたる戦争と多神教に与したユダヤ三部族の粛清）をもって有無を言わさずねじ伏せた。

だが、それでも、部族主義は生き続ける。アラブには、その後も血をもって自らのアイデンティティーにする者たちが絶えることなく生息してゆく。そうした彼らのエートス（行動規範）は血族主義に左右され、血の争いが続いていた。例えば次のような形を取って。

我らの仕事は敵を襲い

隣人を襲い
もしほかにだれも襲撃する相手がいなければ
我らの兄弟を襲うことだ
（ラファエル・パタイ『これがアラブだ』脇山俊・脇山玲訳、ＰＨＰ研究所）

この詩が書かれたのは、イスラム教誕生後のウマイヤ朝期であるが、この期になっても他者に対する略奪は頻発し、それが血縁にまで及んでいる。

イスラム教が部族主義を退治できなかったことがよく分かる。しかも、それは今になっても残滓が残る。少しでも、イスラム精神が弛緩すると、その穴を食い破り、血のこだわりが突出するのだ。と同時にその一方、イスラム教の原点回帰を試みる原理主義も台頭する。

ただ、キリスト教と違うのは、彼らにとってのイスラム教は自らが生み出した宗教で、西欧のキリスト教のような外来宗教ではなかったということだ。

そのためイスラム教への反発は、キリスト教社会のそれより遥かに少なく、両者はそれなりに共存している。あえて言えば、住み分けして共存している。

ちなみに、こうした精神状況は、国家の歴史や形態に対しても、大きな影響を与えている。彼らの中ではイスラム共同体と血縁集団への帰属があまりにも強いため、その中間にある国家（ダウラ）への忠誠心が育たない。彼らがヨーロッパ産の国民国家を建国しにくい理由はこのことがあるからだ。

一神教と血のこだわりは、功罪併せ持つ影響をこの地に与え続けている。

付論

なぜ日本人は一神教がわからないのか

序　集い合う神々――日本教の風景

まず初めに述べたいのは、人間社会の基本形がさまざまな神々や精霊との共存、すなわち多神教社会であったことである。それは神話を見れば一目瞭然で、通常は無数の神々や精霊が登場し、時に仲良く、時に喧嘩し、世界を創り、あるいは壊し、また創りと押し合いへし合いしがらも共に生きている。しかも、この神々は今ある社会集団のご先祖に当たることがほとんどで、地縁血縁で結ばれている。

これは世界のどの地域でもほぼ同様で、自然発生的に生まれたものと考えられる。日本ももちろんそうであり、神々の数はどんどんと増え続け、八百万と呼ばれるほどになっていった。

ところが、ここに異変が起こる。それは、中東に一神教が生まれた事だ。

今は、キリスト教にせよ、イスラム教にせよ、十数億もの信者を持つ宗教となっているため奇異に思われないかもしれないが、これは実に突然変異と呼ばれるべき風景だった。何が奇異かと言えば、自然とも人間界とも隔絶した抽象的な一神だけが存在し、一切の地縁血縁から超絶していることである。

キリスト教（特にカトリック）では、まだイエスが神であったり、マリアが神の母であったり、守護聖人と呼ばれる者がいたりして、かろうじて人間界とつながりがあるようだが、イスラム教ではそれらも一切否定され、ムハンマドでさえただの人で、かつ最終預言者であったため、その後はもはや預言者も現れず、ただ抽象化された神だけがいることになっている。しかも、さらに奇異なのは、この摑みどころのない神と契約するという不思議な関係で結ばれていることだ。

多神教社会でも、神との間に約定はあり、その限りでは同じであるが、もともと地縁血縁でつながっているために、約定はサブである。そもそも、神々と人とは血の繋がった親戚関係にあるために、まずは対話で、さらには阿吽の呼吸で話が通じ、契約など必要ない。

以上が多神教と一神教の違いだが、問題なのは唯一神が正義を独占しているため、非常な排他性を持つことだ。だから、常に他宗に攻撃的で、一神教同士ともなると、非常な流血を繰り返す。ユダヤ教・キリスト教・イスラム教がいかに相手を攻撃し、血を流し続けたかはこの間の歴史が示している。

むろん、彼らから見て多神教など邪教であるに他ならず、人間社会は原始的なトーテミズム・アニミズム・多神教から二神教（ゾロアスター教等）を経て発展し続け、ついには一神教へと辿り着いたとの進歩史観で彩られている。この進歩史観は、疑似一神教たる共産主義にも引き継がれ、しかもこの間ヨーロッパ文明が世界制覇をしたことで、これが正論としてまかり通り、多神教側は押しまくられて今にまで至っている。

しかし、これは手前勝手な仮説であり、多神教が一神教より劣っていることの証明にはなっていない。そもそも、人類史を概観すれば、多神教やそれを支える自然崇拝はその歴史のほとんどを形成し、一神教などたかだか四〇〇〇年の長さに過ぎず、しかも既にニーチェによる死亡宣告（神は死んだ）がなされている（ニーチェ『ツァラトゥストラかく語りき』佐々木中訳、河出文庫など）。

さらに言えば、日本は多神教の国ながら一つの独立した文明圏を形成し、発展した国家となりえている。これを挙げても、一神教的進歩史観が誤りであることは自明である。世界は未だ、さまざまな神々が集い合う混沌の場なのである。

以下では、そのことを前提に、日本人から見た一神教と、一神教との比較における日本人の在り方を述べてみたいと思う。

1　日本人の驚き――「宗教」即「法律」の世界

一神教は、中東で生まれた思想的パンデミックと考えられるが、それはどのような世界観を持ち、どのような特徴を持つのだろうか。これには多くの識者が言及してきた経緯があるが、本文でもそれを重点的に取り上げる。

かつてなら、日本における信者も少なく、とりわけイスラム教などどこか遠い奇妙な教えと放っておけばそれで済んだが、こうまで世界が一つになると、そうは行かない。押し合いへし合いが始まった狭い世界のただ中で、必然的に出会うことになってしまった。

見ず知らずの隣人がいきなりヌッと現れた——そんな感じだ。

ところがこれが、日本とはあらゆる点で違った文化と違った思想を持つ異形の宗教集団だった。その典型が宗教観で、イスラム教に至っては、おおよそ日本の宗教観と全く違ったものであった。曰く。「宗教とは何よりも法であり、それゆえイスラム教の核心とはシャリーヤ（イスラム法）を厳守することである」と。

これを知った日本人は、おおよそ次のような印象を持つようだ。

「何だって？　宗教が法律だって？

法を守ることが宗教的行為だって！

だったら、心の問題はどうなるのか！

宗教とは、心を癒し、その不安を取り除くものではなかったか。

それをよりにもよって宗教が法律とは！

いったい彼らは信仰をどのように思っているのか」

もっともな意見である。日本人がイスラム教に出会ったなら、まずこのように反応する。とりわけ、サウジなどイスラム原理主義が支配的イデオロギーである国には非常な衝撃を受けること間違いない。実際、サウジを訪れた日本人は、おしなべて強い文化ショックに見舞われる。ひどい場合は、ノイローゼになってしまい、早々とサウジから退散する。少なくとも、一刻も早く立ち去りたいと希う。

無理もない。ここには日本人を癒すものが何一つない。酒もない。娯楽もない。女性とも付き合えない。ヤクザさえ生息しない。無い無いづくしで何もない。

おまけに、イスラム教では宗教的禁忌が多く、断食月には一ヵ月丸々日の出から日の入りまで飲食がはばかられる。

ある日本人が、断食月にベドウィンに同行して砂漠に出かけた時である。ベドウィンが、激しい渇きに苦しみながらも一滴の水も飲まなかったことがあった。

それを見かねた日本人が「誰も見ていないのだから、一杯くらい飲んだらどうか。誰にもそれを話さないから」と水筒を差し出しても頑として受け付けない。その日本人は感嘆しきりにその話を語っていたが、彼が水を飲まなかった理由ははっきりしている。それは、神に対する激しい怖れがあったからだ。このベドウィンは「断食中の飲食を人に知られるのが怖いのではなく、神に見られるのが怖い」のだ。

つまり、日本人が対人恐怖であるのに対し、一神教徒は対神恐怖が基調なのだ（岸田秀『唯幻論大全』飛鳥新社）。

一神教の神は、すさまじい形相で、常に人の一挙手一投足を睨みつける――これがこの世界の人と神の関係なのだ。

この対神恐怖と、それに基づく遵法精神はおしなべて一神教徒に見られる傾向だが、次の言葉が象徴的だ。「もし神への怖れがないならば、全ての信仰は失われる」と。

何やらドストエフスキーの言葉に似るが、彼らの思いとしてはこれでよかろう。

つまり、彼らの信仰とは、

＊　内に神を激しく怖れ
＊　外にイスラム法を守ること

なのである。

それ故、イスラム教の聖職者（イスラム教スンニー派には聖職者はいないので、その機能代替を果たす者）とは「コーランを六法全書として持ち歩く法律家」（ウラマー）を指している。

これは不思議な世界である。何せ「聖典（コーラン）が六法全書」で、「宗教家が法律家」なのだから、彼らは、われわれ日本人から最も遠くにいる人々なのだ。

2　一人の回々（中国人ムスリム）は回々ではない——対人恐怖の信仰者

右に挙げた事例のように、彼らとは神に対する感覚が正反対で、日本人は恥ずべき行為が世間に知られるのを怖がるが、ムスリムは神に知られるのが怖いのだ。したがって、日本人とムスリムは相手の立場がまるで分からず、自分が怖がる対象を相手が少しも怖がらないため、えらく強い人間に見えてしまう。あるいは、自分が怖がらない対象を相手が異常に怖がるため、臆病なものに見えてしまう。

この現象をよく示した諺が中国にあるので紹介してみる。中国人ムスリム（回々）をからかった皮肉である。

「三人の回々は回々である。
二人の回々も回々である。
だが、一人の回々は回々ではない」

これは、回々が、人の眼を気にする様を見事に示したものである。すなわち、複数の場合には他人の眼を気にしてシャリーア（イスラム法）を守るのだが、一人になれば他人の眼が無い為に勝手気ままに行為するということだ。

そうなのである。中国人であれ日本人であれ、対人恐怖の社会においては、このようになるのである。彼らはムスリムになりながらも、その実対人恐怖の徒であり続けた。したがって、人の眼が無くなれば、当然イスラム法は隅に置かれ、飲食における食物規定も解禁される。

　これが、対神恐怖のムスリムと根本的に相違する。

　むろん、対神恐怖のムスリムでも飲兵衛は大勢いるが、それでもどこかで神を意識し、ついつい制御がかかってしまう。そのため、飲むほどに悪酔いし、ひどい場合は絡んだりわめいたりと忙しい。要するに、悪いと知りながら飲んでいるため、いい酒が飲みにくいのだ。逆に、いい酒が飲めるのはいい加減なムスリムということになる。

　彼らにほろ酔いながら情緒を楽しむセンスはない。ましてや、それを女性と共にしっとり楽しむ風情はない。そのため、日本文化の風情を伝えるのは難しい。欲望の制御と解放が微妙に入り交じる感情は、どうにも伝えようがないからだ。

　日本人の伝統からすれば、ほろ酔いのただ中で、一つの流し目、一つの物腰を感得する精神を「粋」と呼び、その対極を「無粋」と呼ぶが、それを会得するまでには長年の修練が必須となる。逆に言えば、それを理解したムスリムは、これはもう「よくぞ日本を理解した」と大歓迎されるであろうが、同時にそれは、彼がムスリム（対神恐怖の徒）でなくなったことを意味している。

　両者の間には、めくるめくような文化の差異が存在するのだ。

3　アラブが日本人を分からぬ理由

今度は、アラブから見た日本人について書いてみる。

実は、彼らも日本人が分からない。それは、同じムスリム同士でもそうであり、アラブ・ムスリムは日本人ムスリムを分かっていない。

例えば、両者が初めて出会った時、まずは宗教談義から話が始まる。

「お前は毎日五回お祈りをしているか」

「ちゃんと断食をしているか」

「メッカへの巡礼は済ませたか」

等々と。

これは、彼らが特別篤信者であるためにそのような会話があるのではない。宗教しか両者をつなぐ話題がないからだ。

「宗教しか話題がない」というと、「宗教という堅い話をしなくとも、話題はたくさんあるじゃないか」と思われる向きも多いだろうが、そうはいかない。

文化も違う、習慣も違うという中で、唯一共通なのはイスラム教だけという状況では宗教の話をするしかないのだ。

だから、われわれが天気の話をするのと同じく、彼らは宗教の話をする。そして、一通り宗教談義が終わったところで（つまり、相手との間合いを測ったところで）、やおら本題に話を移し、相手が女好きであれば女の話、大酒飲みであるようだと酒の話になってゆく。もとより、間合いを測り損ね、宗教的な謹厳居士に酒や女の話をすればひんしゅくを買うのは当然で、このあたりがタブーをたくさん持つムスリムの難しさだ。

例えば、相手と意気投合し、もう頃合いだと酒の話を切り出すと、以外に宗教的堅物で「ん？何？　お前はムスリムのくせをして酒を飲むのか！」と問いつめられることになる。

相手の本音を見抜くには、なかなか年季が要るのである。

かくして、本音が分かるまでは、無難な話（宗教談義）となるのであり、時には延々とこれが続く。とりわけ、公式の席上ともなれば、大義は厳然としてイスラム側にあり、これから外れた内容を主題にはできにくい。

これが宗教談義の流行る理由だ。

だが、実は、宗教談義の背後には、より深刻なわけがある。

それは、彼らが融通無碍な行動規範を持てないことに依っている。というのも、融通無碍のアラブたるや、大変な悪党である場合が多いからだ。なるほど、悪党アラブはなかなか面白いパーソナリティーを持っている。付き合っていても気楽でいい。酒も飲めるし、食事のタブーも少ないし、異文化にも理解がある。しかし、気にせずに済む分だけ（つまりイスラム法を気にしない分だけ）倫理的に危ないのだ。つまり、アラブが融通を効かすとはイスラム法を無視するわけだが、イスラム法を無視するとはやらずぶったくりを働くのと同義語なのだ。

だから、彼らは執拗に「お前はちゃんと日に五回礼拝をしているか」、「ちゃんと断食をしているか」と確かめてくるのである。それで相手が信用できるかどうかを測っているのだ。

彼らの倫理基準によれば、「礼拝をきちんとし、断食を行っている人間」とはきわめて倫理的な者であり、「融通を効かす人間」とは何をしでかすか分からない危険極まる者なのだ。原理主義者が、ある種信用を博しているのはこのことがあるからだ。

逆に言えば、だからこそ、彼らは日本人（ムスリム）が分からない。

礼拝をせず断食をさぼり大酒を飲みながら、それでいて時間を守り約束を違えぬ日本人ムスリムをどう評価していいか分からないのだ。

事のついでに付け加えると、この地においては間違っても「おれは神を信じない無神論者だ」などという言葉を吐いてはならない。これは致命的な発言で、「神を信じない者」とは、どんな悪事も平気で働く大悪党と見なされかねないからである。神を信じるのをやめた者は、社会に仇なす反社会的人間だとされるからだ。

したがって、この地での背教行為は死刑となる。無神論者（共産主義者等）は死刑なのだ。

そうなると、平気で無神論を公言する日本人はきわめて危ない立場となるが、その神を信じない日本人がきわめて倫理的なのに彼らは戸惑ってしまうのだ。

われわれと彼らの間には非常な溝が横たわっているのである。

4　仏に逢うては仏を殺し、祖に逢うては祖を殺し——一神教を受け付けない日本人

ここで、今まで述べてきた一神教と仏教を比べてみたい。相異なる者同士を比較する方がその内実を浮き彫りにできるからだ。

実際、両者は、ひどく違った世界観を持っている。そもそも、唯一神を立てる一神教に対して、仏教はそうした神を否定する。

「そんなことあるものか、仏教だって仏像（神仏）を拝んでいるではないか」との声も聞かれようが、あれは仮初めの存在で、崇拝の対象では決してない。いわば、何らかの具象がないと困るから置いてあるだけである。

だから、近年タリバンがやった大仏の破壊（二〇〇一年のアフガニスタン・バーミアンの石仏破壊）など笑止千万もいいところで、仏教にとり何の痛手にもなっていない。物の「空性」を唱える仏教に、崇拝する実体などないからだ。おそらく、臨済義玄（臨済禅の祖）にでも見せれば、「これは異なこと」という顔をされ、カラカラと笑い飛ばされるに違いない。事実彼は、次のような言葉を発し、物の実体を否定している。

如法の見解を得んと欲せば、但人惑を受くること莫れ。裏に向い外に向って、逢着せば便ち殺せ。仏に逢うては仏を殺し、祖に逢うては祖を殺し、羅漢に逢うては羅漢を殺し、父母に逢うては父母を殺し、親眷に逢うては親眷を殺して、始めて解脱を得ん。物と拘わらず、透脱自在なり。（『臨済録』「示衆」）

すさまじい言葉である。臨済は絶対自由を阻止するものをいかなるものでも認めない。例えそれが仏であっても祖であっても、ひとたび自由を束縛すれば「それを殺せ（概念を壊せ）！」というのである。

一神教に当てはめれば、さしずめ「ヤハウェ（アッラー）に逢うてはヤハウェ（アッラー）を殺し、イエス（ムハンマド）に逢うてはイエス（ムハンマド）を殺し、聖人に逢うては聖人を殺して、始めて救いを得ん。神に拘わらず透脱自在なり」とでも言ったところか。神父（あるいは牧師）やウラマーにでも聞かせれば、あまりのことに卒倒するに違いない。

要するに、禅者たる者、いかなる存在も実体化してはならないのである。存在の実体化は執着に直結する。それは無限の苦を生ずる。それ故、実体の呪縛を離れ、透脱自在にならなければならないのである。日本へやってきた宣教師が頭を抱えてしまうのは、ほぼこのことによっている。

そういえば、故山本七平氏（イザヤ・ベンダサン）が次のような事例を出し、両者の相違を説いていた（『日本人とユダヤ人』山本書店）。

昔、あなたのようにはるばる日本に来た一人の宣教師がいた。彼がある日、銅製の仏像の前で一心に合掌している一老人を見た。

そこで宣教師は言った。

「金や銅で作ったものの中に神はない」と。

老人は何と言ったと思う。あなたには想像もつくまい。彼は驚いたように目を丸くして言った。

「もちろん居ない」と。

今度は宣教師が驚いてたずねた。

「では、あなたはなぜ、この銅の仏像の前で合掌していたのか」と。

老人は彼を見すえていった。

「塵を払って仏を見る。如何」と。

失礼だが、あなただったらこれに何と返事をなさる。いやその前に、この言葉をおそらく「塵を払って、長く放置されていた十字架を見上げる。その時の心や、いかに」といった意味に解されるであろう。一応それで良いとしよう。御返事は。さよう、すぐには返事はできまい。その時の宣教師もそうであった。するとその老人はひとり言のように言った。

「仏もまた塵」と。
そして去って行った。

興味あるやり取りだ。片や伝道の意気に燃えはるばる日本へやってきた宣教師、片や名もない一介の老人。だが、その名もない老人に翻弄され、宣教師は呆然として立ち尽くす。

この場合、仏像は信仰の対象であり、そうでもない。その前で熱心に合掌しているかと思えば、一転してそれを塵芥（ちりあくた）と突き放す。では「どちらが真か」と詰め寄っても無駄なことだ。もともと、仏像などに実体はないからだ。

この状態がいかに宣教師を悩ませたか言うまでもない。唯一の真理を絶対としてきた者が「真理などあるものか！」と逆襲されたわけだから。

絶対自由を標榜する禅の面目躍如である。

禅は、イドラ（外なる偶像）を全否定する。イドラ化した一切のものを認めない。そこには、いささかの躊躇もない。

禅とは畢竟、こうした概念の束を切って捨てることから始まる。その手段となるのが公案である。公案は、初めから矛盾した状況を設定する。つまり、正解などどこにもない。あるのはただ、どのように答えても窮地に陥る問いだけだ。

では、なぜ禅はこのような公案を必要とするのか。

それは、自我を縛る概念を潰すためだ。いかにしても答えの出ぬ問いを突きつけ、実体化した概念を粉砕してしまうのだ。こうなれば、後は乾坤一擲公案の中に我が身を投じ、己を無にするより他にない。さしずめ「百尺竿頭いかに歩を進めん」(『無門関』第四六則)といったところか。老人が宣教師に一刀を浴びせたのも、こうした論理(実体否定と無我への投企)に他ならない。この勝負、明らかに老人の勝ちであった。

5　キリスト教はなぜ日本に根付かなかったのか

さて、右の例に見られるように、キリスト教は日本文化が苦手のようだ。実際、キリスト教の信者数も人口の一パーセントをなかなか超えない。

では、なぜキリスト教がこれだけ伸び悩んでしまうのか?

これは、興味のある問いであるが、ざっと列挙するだけでも、幾つかの理由が挙げられる。

まずは、多神社会の唯一神への拒絶であり、

キリスト教的殉教への不信であり、

山岳信仰への無知であり、

精霊信仰への軽視であり、

歴史観(時間感覚)の違い、

等々である。

最初の「唯一神への拒絶」については、巷間述べられている通りである。日本人に唯一神への信仰はまったくない。それから流出する唯一の真理（唯一の正義）もどこにもない。あるのはただ無限に増える神々と全てを相対化する精神だけである。したがって、絶対正義・唯我独尊を振り回す人間は鼻つまみにされ、村八分にされ、ついにはパンテオン（万神殿）から放り出される。

この場合問題なのは、キリスト教自身が拒否されたわけではないということである。彼らはこう言えば受け入れられた。

「あなた方の教えにも一理ある」と。

あるいは、こう答えればさらに良かった。

「イエスは大日如来の権現（仏や菩薩が仮の姿で現れたもの）である」と。

キリスト教の神仏習合版である。

ところが、これができなかった。それどころか、次のように公言してはばからなかった。

「デウス以外に神はない。他の神々はことごとく邪神である」と。

そして、自らが多数を占めた地において、神社仏閣を壊し出した。

これでは、多神教たる日本社会の立つ瀬がない。

かくして、日本の神々は新たに上陸したキリスト教を迎え撃ち、ノーガードの殴り合いを演じてゆく。要するに、唯我独尊の新参者がいきなり入り、日本人が一番大切に思っている和を乱したということだ。

以上、諸々の理由をもってキリスト教禁教が決定した。

これは、日本史上、きわめて珍しいことであり、禁教にしなければ社会の根底が揺るぎかねない危機感があったのだろう。事実、キリスト教への弾圧は熾烈を極め、多くの殉教を引き起こすが、これまたキリスト教への同情を惹かなかった。すなわち、ローマ帝国に見られるような弾圧の後の国教化には至らなかった。

これは大きな意味を持っている。なぜなら、イエス起源の殉教はキリスト教伝道の決定的要素だったからである。

ところが、これが通じなかった。それどころか、キリスト教の殉教は非常な嫌悪を持たれてしまった。

なぜか？　それは、東洋の聖人が「長寿」と「自然死」を条件としていたからだ。

それを少しでも知ろうと思えば、東洋的聖人の代表たる仙人を見ればいい。彼らはほぼ例外なく、白髭をたくわえた老賢者なのである。

一方のキリスト教的殉教たるや、「さあ殺せ、さあ殺せ」という態度である。イエスを真似る必要があるからだ。これでは、両者の一致はない。

もう一つある。

それは、イエスのような死を迎えると、怨念が後に残り、後世に禍根を残すからだ。それについては、釈尊と比べれば一目瞭然に理解できる。釈尊は、自らの信念を説き続け、誰と争うこともなく、静かにその生をまっとうした。

この姿が、東洋の理想なのだ。むろん、日本人の理想でもある。

日本には西郷隆盛のように戦死した聖人もいるにはいるが、その場合も明確な条件がある。それは怨念を残して死んではいけない、ということだ。西郷は明治政府に反乱し敗走する中で自決するが、その時も怨念は一切なかった。彼は誰恨むこともなく、悠然と死を迎えた。

では、近代日本に多く見られる軍神ならばどうなのか？

それと最も似ているのはイスラム教のシャヒード（聖戦殉教者）だが、これまた決定的に違っている。なぜなら、シャヒードは、最後の審判を経ることなく天国（ジャンナ）に行く特権を得ただけで、神となったわけではない。それは、死んで神（この場合は軍神）となる日本とは根本的に違っている。

こうして見ると、両者の違いがはっきりしてくる。日本人にキリスト教的殉教もイスラム的殉教も受け入れる素地はない。要するに、一神教の切り札たる殉教が通じないということだ。

6　キリスト教は山と精霊をまるで無視した

これに追い打ちをかけたのが、（キリスト教の）日本的死生観への無知である。具体的には、山岳信仰や精霊信仰の軽視である。

これは、仏教がたどった歴史とはまさに対照的なものであった。仏教は奈良時代から山林修行をやり始め、平安期に空海が高野山に、最澄が比叡山に寺を造った。日本学者の梅原猛によれば、この時日本仏教は「死界を支配した」と言う。

古来、日本の山々は屍を捨て、死霊の漂う異界であった。そしてその鎮魂はシャーマン（霊能者）が長く担ってきた。だが、仏教が山に寺を建てたことで、僧がその役割を奪い取ったというのである。

と同時に、仏教は山岳信仰と融合し、修験道と名乗る新仏教を創造した。蔵王権現と名付けられた新たな仏（日本仏）も創造した。これは他の仏教圏にないもので、日本独自なものと言えよう。

ちなみに、山に分け入る修験者は、一度死ぬことになっている。事実、峰入り前に通夜を行う山もあり（羽黒山等）、そこでは自身の葬儀をやることになっている。私もやったが、自身の葬儀を行うことは何とも奇妙な感覚をもよおした。

かくして、俗人としての在り方はいったん全て否定され、死人となって峰入りする。そして、そこで修行して、新たな人間として再生する。

修験道とは、死と再生を取り仕切る山岳信仰なのである。日本仏教が浸透するのは、こうした山との結びつきに依っている。

他方、仏教は精霊信仰とも結合した。その実例は至る所に見られるが、その代表的な例を挙げれば、密教がそうである。中でも、空海の興した真言宗は、その精霊信仰を内懐に取り込んだ。そのきっかけは空海の山々の放浪だった。その時彼は、自然はもとより、それが発する音（声）までも命あるものと感得し、それを教えの基本に置いた。空海が自らの教えを真言宗、すなわち「真の言葉の宗え」としたのは、このことに依っている。空海にとり、世界は生ける衆生の無数の声（真言）で満ち溢れていたのである。

したがって、真言経典の「如是我聞（かくのごとく我は聞く）」とは、釈尊から聞いたのではない。宇宙仏たる大日如来から聞いたのだ。具体的には、自然の声（音）だ。こうした仏の在り方は、空海のライバル最澄も同じであった。

最澄の開いた教えは、その後天台本覚論（草木国土悉皆成仏）となって完成されるが、それは精霊信仰の仏教的表現とも言い換えられよう（梅原猛『最澄瞑想』佼成出版社）。彼にとっての生命とは、人や動植物だけでなく、無機物（自然）にもあると考えられた。

かくして、日本仏教は、平安期の二人の巨人（空海・最澄）の営為により、山岳信仰と結合し、日本社会に定着した。これ以降、仏教は日本の死界に食い込んだ。仏教僧が葬儀を取り仕切っている現状はそれを雄弁に物語っている。

要するに、葬式仏教と揶揄されながらも、葬式仏教になることで死界を制することになったのだ。それもこれも仏教が山に登ることを始めたからだ。

一方の精霊信仰は、あらゆるものに命を見る生命観を育んだ。それは、今に至るまで引き継がれ、日本人技術者や労働者は、機械にまで名を付けて、生きた人格と見なしている。聞くところによれば、「百恵」や「聖子」と呼んでやると、機械の方もなぜか調子がいいらしい。日本の機械は生きているのだ。

その一方、会社の中にも小さな祭壇をこしらえて、神々を祭っている。日本では法人にも神々が宿っている。

それは、欧米に見られるような無機質の組織でなく、無人格のものでもない。

ところが、日本へ入ったキリスト教は、平野宗教・都市宗教を自任して、山の存在を無視し続けた。救いを人間だけに限定し、動植物の存在を問題にしなかった。ましてや、自然に命があるなどとは考えなかった。

これではまるで、日本の精神風土を逆撫でにしているようなものである。

キリスト教への改宗者が都市インテリ（西欧化した知識人）に限定され、大衆に至らなかったのはこのことがあるからだ。

死界を制していない教えにどうして民衆が付いてこよう？

自然崇拝（精霊崇拝）を拒否する教えにどうして大衆が付いてこよう？

この問いに彼らは未だ答えていない。

7　日本人は世界の終末まで時を待てない

初めてキリスト教が日本に上陸した時（戦国期）のことだ。

おそらく、その内容を知った時、日本人は息を飲んだことだろう。とりわけ、祖先信仰を持つ日本人にはきわめて衝撃的だったろう。事実、フランシスコ・ザビエルが語る日本人信者の落胆は大きかった。彼らはキリスト教に帰依しながらも、次のような悲嘆にくれた。「われらの祖先はキリスト教の教えを知らなかったため、地獄に堕ちて苦しんでいる」と。

ザビエルは「その様があまりに哀れでならなかった」と述べている。

無理もない。ここで言われる祖先とは、生まれ変わり死に変わりする自己の分身なのである。今ここにある生者とは、祖先の誰かの生まれ変わりに他ならず、それ故祖先と生者とは濃密な関係にあるのである。日本の伝統芸能の襲名に、同じ名が繰り返されるのはこのことがあるからだ。それは、かつて生きた祖先の生まれ変わった姿を指す。

このことを示唆しているのが盂蘭盆会である。

われわれは、今なおお盆ともなれば、民族移動とも称すべき大移動を経験するが、それもひとえに祖先を迎えるためである。あの世に行った祖先たちは、胡瓜の馬にまたがってこの世に舞い戻ってくるのである。それを迎えるわれわれも、懐かしい祖先たちと邂逅し、しばしの時を過ごした後、あの世へ送り返すのである。そして、日本仏教は、この盂蘭盆会に関わることで揺るぎない地位を占めてゆく。

この世にやってきた祖霊たちは、僧を動かし読経を促し送り火を焚かせた上で、静かに去ってゆくのである。日本人は、この祖霊たちとの交歓を無限に繰り返してきたのである。

そこには、世界の始まりも終わりもない。したがって、キリストの再臨を待望する心情も最後の審判に震え上がる戦慄も何も、ない。すなわち、いつ来るか分からぬ世界を待つことは、日本人には決してできない。

それは、円運動を絶対だと思う者に直線運動を押し付けるようなものである。しかも、その時間的直線は無限の彼方に伸びているのだ。したがって、その先に来る千年王国などと言われても、本気になる日本人はまずいない。一年周期に回る世界を信じる者に左様な時間が分かるはずはないではないか。例え彼がクリスチャンやムスリムになったとしても。

だから、日本人は終末の日を絶対待てない。ドグマ（教義）としては口にしても、生々しい皮膚感覚に欠けている。日本人なら、胸に手を当てて考えてみれば即座に分かろう。一〇年が二〇年に、三〇年が四〇年になるに従い、終末への待望は薄れてゆく。五〇年もすれば、ほぼ消えうせると言っていい。ましてや、いつ来るか分からぬものを待つとなると、これはもう絶望的だ。だから、最後は、禅者が言うようなことに落ち着く。

「永遠は今座っている座布の下にある」と。

そうなのである。われわれは、終末の日を絶対待てない。と同時に、彼らも日本人のような待ち方を決してできない。つまりは、日本人が一神教に、彼らが日本教に改宗することは時間的に不可能なのだ。

ちなみに、日本仏教で、三劫成仏（天文学的な時間の果てに成仏する思想）が否定され、即身成仏（この身このままの状態で成仏できるという思想）が主流となるのも、このことと深い関係を持っている。日本仏教の中心課題は「いかに早く、いかに容易に救われるか」を探求することであった。また、それを疎外するいかなる教えも削ぎ落としてゆくことだった。その結果、戒を省き、修行を省き、念仏（南無阿弥陀仏）の一言で往生するまでに至ったのだ。日本仏教の時間とは、インド仏教のそれとは違い、可視的時間に終始してゆく。

そこには、待つことのできぬ日本人の精神が明らかに介在している。日本人に、時の終わり（最後の審判）は永遠に来ないのだ。

8　日本人ムスリムの生態

では、日本人が一神教徒（例えばムスリム）になった場合は、どうなるか？

それを知りたければ、以下に示す有賀文八郎（一八六八－一九四六。明治期の日本イスラム運動のパイオニア）の「日本イスラム教の道徳概要」を見ればいい。そこには、日本人ムスリムの何たるかを如実に示した信仰箇条が列挙してある。

一、我々は、唯一真神を本尊として崇拝する
一、我々は、天皇皇后両陛下並びに皇室ご一同を崇敬す
一、我々は、両親を敬愛す
一、我々は、兄弟姉妹を相愛す
一、我々は、信徒互いに相愛し兄弟の如く交わる
一、我々は、己の国を愛護し其の為には死を賭して奮闘する
一、純良なる教師を敬愛する
一、我々は、伝道資金を応分に献納する
一、結婚式には教師（イマム）の立会を要す

一、葬式には教師（イマム）の指揮に従う
一、子は父母に孝行を尽くすべし
一、父母は子を愛育すべし
一、一家にも必ず過去帳を備え、祖先の姓名と生年月日と永眠月日を明記し、其の記念日には黙禱すべし、而して墓参を怠るべからず
一、酒は飲まざるを良しとす。但し健康を保つに必要なる者は此の限りにあらず
一、喫煙は禁ずるを良しとす。但し多年の習慣上健康に害なき者は此の限りにあらず
一、豚肉は喰うべからず。但し他に適当なる副食物を得ざる時は此の限りにあらず
一、厳禁箇条。殺人、窃盗、不忠、不孝、中傷、虚偽、誹謗、賭博
一、金曜日には一定の場所に集会し、正午より一時まで教師（イマム）の指揮の下に礼拝し、また説教を謹聴すべきこと

この信仰箇条を見てみると、日本人ムスリムがどのようにイスラム教を見ていたかがよく分かる。結論から先に言えば、これは全くイスラム教の精神に反している。

そもそも、イスラム教のエッセンスが述べてある部分は第一条等ほんのわずかしかなく、後はまるでイスラム教とは関係ない。それどころか、ここに記された道徳規範は、国家神道の長である天皇への帰依であり、国と親への忠孝であり、祖先崇拝の奨励である。

これでは、唯一神の存在とその規範（イスラム法）を優先するイスラム的視点は出てこない。

9　飲酒・豚食を止められない日本人ムスリムたち

だが、思想信条だけならば、まだしもごまかしは効いたろう。

しかし、次の信仰箇条ともなれば、もはや一切の弁明はなしえない。

曰く。

「酒は飲まざるを良しとす。但し健康を保つに必要な者はこの限りにあらず」

「豚は喰うべからず。但し他に副食物を得ざる時はこの限りにあらず」

云々と。

こうなれば、誰も飲酒や豚食をやめはしない。それどころか、酒を飲むのも豚を喰うのも健康に必要だとばかり、飲み食いすることであろう。事実、日本人ムスリム（とりわけ戦前の日本人ムスリム）の大半は大酒飲みがほとんどで、豪快に飲みまくってはばからなかった。むろん、他の食物規定も同じである。

そしてそれを咎められれば、こう言って開き直る。

「飲酒や豚食をやって何が悪い。誰に迷惑かけるじゃなし」と。

ここに、日本人の人間観が如実に出ている。神との契約は二の次で、人と人との関係が優先されているのである。この文脈で言うならば、飲酒や豚食は神を裏切る行為（契約違反）なのだが、それに少しも気が行かず、人に迷惑をかけることが気になってかなわないのだ。神の目よりも世間の目といったところか。

したがって、日本人には契約を破った折の神の怒りが分からない。旧約では、震え上がるような神の怒りが書かれているが、それが比喩としか思えない。要するに日本人は、一神教の言う「神の正義」も、それが破られた場合の「神の裁き」もまるで何も分かっていない。一神教徒が正義をしゃにむに求める背景には神の裁きがあるからだが、それが怖くないのである。

それよりも何よりも怖いのが世間の目だ。しかもそれは、自分に対するだけでなく、身内に向けられる人の目だ。自分のせいで身内が苦しむ状況が何とも耐えがたいのである。

だから、日本人へのペナルティーは、村八分に代表される世間の罰だ。この傾向は、世間が都市型社会になるにつれ失われつつあるが（近年、急速に都市型犯罪が増えているのはこのためであろう）、依然として日本人の行動規範となっている。恥の文化と言われる所以だ。

だから、日本人は世間からの批判がなければ後はそれほど気にならない。ムスリムになろうが、クリスチャンになろうが、それはまったく変わりはない。右の飲酒も豚食も度を超さない限り問題は、ない。日本人の改宗は、エートス（行動規範）がまったく変わらず、観念だけが変わるのだ。

その結果が先の「道徳概要」である。つまりここでは、「但し書き」の方に重きが置かれ、シャリーヤは棚上げにされている。そしてそれこそ、日本人ムスリムのイスラム理解であったのだ。熱烈な皇道主義者であった林銑十郎（一八七六─一九四三。第三三代内閣総理大臣）が大日本回教協会会長であったのはこのことがあるからだ。

逆に言えば、日本人にはイスラム教のエッセンスたる対神恐怖も、神の法を守らんとするリーガル・マインド（法的精神）も偶像崇拝への激しい嫌悪も何一つなく、そこへイスラム教の信仰を割り込ませようとするならば、「道徳概要」のようにならざるをえなかったのだ。

では、しゃにむにイスラム教の規範を守ろうとすればどうなるか？

その時は、完全に日本社会から浮き上がる。

それはそうであろう。ムスリムになったからとて、やおら女房（並びに娘）にヴェール（ヒジャーブやニカブ）をかぶせ、法事には出席せず、神社仏閣には参拝をせず（ひどい場合はそれを壊し）、酒席を共にしなければ、どのようになるかは言うまでもない。

その時は、日本人ならぬ日本人として「村八分状態」に追いやられる。つまりは、放っておかれたまま、相手にされないことになる。日本人は自己の無意識に入ろうとする異物には、おおよそこのように対処する。

これはイスラム教の場合であるが、キリスト教でも同じである。外面規範（イスラーム法）がある分だけ、イスラム教が目立つだけの話である。したがって、日本人ムスリムも日本人クリスチャンも日本化されたムスリムやクリスチャンにならざるをえなくなる。行動規範に変化が見られない限り、一神教徒になったとは認められないからである。

ここまでくれば、自ずと答えは出てこよう。日本における一神教は、次第に骨抜きにされてゆき、アッラーであろうがヤハウェであろうが、最後はパンテオン（万神殿）の神々と成り果てる。より具体的に言うならば、日本で最初に骨抜きにされるのは律法（外面規範）で、最後は唯一神そのものとなるであろう。

なぜなら、大多数の日本人は、究極的な意味におき、コーランを受肉した人間（ムスリム）にもイエスの血肉を分け与えられた人間（キリスト教徒）にもなれないからだ。日本人には、文字（コーラン）もワイン（イエスの血）もパン（イエスの肉）も、それが如何に聖なるものでも、しょせんは象徴以上のものにはならない。

そこには、生々しいリアリティーが不足している。皮膚感覚としての実感が得られないのだ。となれば、後は名前だけの信者となるか、社会から浮き上がって生きる他ないであろう。

ちなみに、近代日本には、政治によって引き裂かれた二つのイスラム観が存在し、戦前は右翼や軍部の有志らが自らの恣意（大陸政策等）によりイスラム教に接近し、戦後はリベラルや左派のイスラム学者がイスラム・シンパとなっており、反政府的スタンスを取っている。彼らがイスラム教と全く無縁な安保法制反対声明を出している現実はその事の証左である。

どちらも恣意的アプローチだが、では宗教的アプローチはどうかと言えば、右に述べた通りであり、日本社会に浸透することはまずできない。日本に上陸した一神教（この場合はイスラム教）

は、まずこのような末路となるであろう。

10　日本人は全員がリベラリスト

日本人がリベラルという言葉を使う際は政治用語として使っている。例えば、かつて民主党という政党が「我が党はリベラルな党である」と自己紹介する例などがそれに当たる。つまり、リベラルということで、自民党の保守性（コンサバティブ）に対抗しようというのである。

だが、ちょっと待ってもらいたい。それは間違いではないにせよ、リベラルの反対は保守ではなく、原理主義（ファンダメンタリズム）である。しかもそれは、政治概念ではなく宗教由来の概念なのだ。

ところが、この原理主義ほど、日本人に分かりにくいものはない。まず、絶対に分からない。それは、アメリカ社会を左右するリベラリストとファンダメンタリストの抗争をスケッチするだけで事足りよう。

例えばイコール・タイム運動だが、これは「進化論と同じ授業時間だけ神の天地創造説を教えろ」という運動である。要するに、進化論など聖書に逆らう不埒な教えで、人間は猿の親戚などでは断じてなく、神の似姿として創られたというのである。

これを聞く日本人は、それが今でも裁判沙汰になっている現状に仰天し、驚き呆れることであろう。

例えば、一九二五年に起きたモンキー裁判というものがある。これは、テネシー州議会が出した「公教育における進化論教育の差し止め」から始まった。聖書の教えに反するというのである。ところが、ジョン・スコープスという高校教師がそれに反し、進化論を教えたから、さあ大変！

そこで持ち上がったのがモンキー裁判（スコープス裁判）で、全米を巻き込んだ大論争に発展した。日本人から見ると、何とも言いようもない事件であるが、当のアメリカ人たるやモンキー裁判に熱中し、国を二分するような争いになってしまった。

実は、それを傍聴した日本人が一人おり体験記を書いている。その心情を代弁すると、ほぼ次のような趣旨のものとなる。

「今世紀に、しかも先進国たるアメリカで、こんなことが起こっている。いやはやまったく驚いた！」と。

まあ、日本人に傍聴させれば、一〇〇人中一〇〇人がこのような感想になるであろう。

しかし、さらに驚くことは、この裁判で進化論が敗れ去り、それより半世紀ほど経った一九七三年段階でも、テネシー州議会は反進化論法案を通そうとしていたことだ。

これが原理主義の実情である。

要するに、原理主義とは、聖典に書かれてある全ての事項を信じ切る精神を指して言う。イエスが湖を歩いたとあればそれを信じ、死人を蘇らせたとあればそれを信じ、と一点一画しゃにむに信じてゆくのである。

これは欧米人クリスチャンでも、さすがに付いてゆける者は少数で、隣人愛など信じられる点だけを信仰し、湖を歩いただの死人を蘇らせただのという記述は保留しておこうという態度に出た。これがリベラリズムと呼ばれる立場だ。

そうなれば、日本人など全員がリベラリストで、いかにキリスト教の篤信者でも原理主義者など一人もいまい。その時々のニューマ（空気）が物を言う日本にあっては、論理的一貫性に固執する原理主義は最も遠い存在なのだ。

ちなみに、世界各地を見渡すと、原理主義が存在しない方が珍しく、たいがいの地には存在する。むろん、一神教以外の地でも存在する。例えばお隣りの韓国だが、ここでは儒教原理主義者が厳然として棲息していた。たとえば次の例に見るように。

時は、李氏朝鮮滅亡期のことである。日本の侵攻に反対する朝鮮義兵が蜂起した。これは朝鮮の伝統で、外国軍の侵攻には常に義兵が立ち上がる歴史がある。

その時のことである。陸続として駆けつけた義兵を率いる李麟栄将軍は、ソウル奪還を目指して進軍していた。その数一万。いずれも救国の志を持つ壮士である。彼らが日本軍と戦えば、一大決戦となり、韓国近代史に大きな足跡を残したであろう。

が、ここで歴史は急転する。何と、王城ソウルを前にして李将軍が陣を離れてしまったのだ。「父の急死で田舎に帰り喪に服す」ということで（金容雲『韓国人と日本人』サイマル出版会）。

何ということ！

が、そこは儒教の本場である。皆（腹心の部下）もそれを承諾した。これが日本なら、まずこのような事態にはならないが、ここ韓国では儒教精神を体現する壮士こそ指導者たる資格を持つ。それ故、彼の行動はまずは受け容れられることになった。

まあ、ここまでなら、日本人でも何とか分かる。

が、問題なのは喪に服する期間だった。

驚く無かれ、三年間！

彼は実に三年間、喪に服したまま帰らなかった。そして、義兵の蜂起は無に帰した。

これをいったいどう考えるか？

おそらく一〇〇パーセントの日本人が唖然として立ち尽くすことであろう。中には、あまりのことにあきれ果て、他人事ながら怒り出す者もいるかもしれない。「こんな大切な非常時にいったい何を考えている！」と。

が、これがユダヤ人なら即座に理解したであろう。何せ安息日には、ポンペイウス率いるローマ軍に、無抵抗のまま皆殺しになった歴史を持つ民族だから。

安息日とは、一切の労働を忌避する日（土曜日）を指して言うが、戦闘も労働に当たるため、安息日を守ったユダヤ人はなすがままに殺された。

これには殺した方のローマ軍も仰天した。あれほど手を焼いていた籠城軍が唯々諾々と殺されるのである。城壁をよじ登り自らを殺しに来る攻城兵を、何もせずにただ見ているだけなのだ。何たる行為！

この時ローマは、宗教原理主義という不思議な相手と史上初めて遭遇した。

それが日本人の眼前でも起こったのだ。この話はあまり日本に伝わらず知っている者はほとんどないが、それが喧伝されれば腰をぬかさんばかりになったろう。実は、これを韓国びいきの日本人に語ったことがあるのだが、その時の表情は面白いほどに困惑していた。鳩が豆鉄砲でも食らったようにポカンとし、どうコメントしていいのか分からんという風情であった。さもあらん。それは、帝国主義や反帝国主義以前の問題であるからだ。

だが、李将軍の立場で言えば、これでいいのだ。これこそが原理主義者のエートス（行動規範）なのだ。

一軍の将がいなくなったり、一切の抵抗を止めて皆殺しになったりと、まことに唖然とする話だが、これが全人格的に分からぬ限り原理主義は分からない。

全員がリベラリストの日本人には原理主義者の何たるかは永遠の謎なのだ。

11　イスラム教が日本に上陸できなかった理由

イスラム教が日本に上陸するのは明治期になってからである。それまでは、あれほどの世界宗教が一切日本には伝わらなかった。

なぜ、上陸できなかったのか？

それには、地政学的理由がある。

まず、北のルートは中国大陸が抜けなかった。

イスラム教は、確かに中国の西の端（西域）までは浸透したが、メインランドに入ることなく、そこで堰き止められることになる。この地のムスリムは二種類おり、中国語を話す回教徒とトルコ系ムスリムがそれに当たる。このどちらもが、中央政府に反抗的で、前者は清朝時代に何度もの大反乱を起こしており、それこそ根切り（皆殺し）に近いほどの粛清に遭っている。後者も、一九世紀、短いながらも二度の独立を果たしており、未だに共産主義政権に抵抗を続けている。

だが、結局、中華文明に跳ね返され、マイノリティーのまま現在に至っている。

次に、中央ルートだが、これはインド文明を抜けなかった。

なるほど、一時ムガール帝国（イスラム帝国）がインドを支配し、かなりのムスリムを生み出したが、その大多数はフロンティア（現パキスタンやバングラデシュ）に留まり、宗教的マジョリティーにはなれなかった。

インドの主流は、あくまで生活に密着したヒンドゥー教であり、そこにイスラム教は食い込めなかったのである。

最後に南ルートであるが、これはフィリピンのミンダナオまでが限界だった。

なぜ、ルソン島まで行けなかったのか？

それは、スールー諸島を経てフィリピンに上陸しようとしたまさにその時、マゼラン（一四八〇―一五二一）のフィリピン上陸が行われたからである。当時、大航海時代に入っていたスペインは、行く先々を自らの版図とし、これにフィリピンも組み入れられた。

これは歴史のイフになるが、もしマゼランの上陸が遅れたなら、フィリピンはイスラム教の版図になり、キリスト教の日本上陸はイスラム教と入れ換わり、島原の乱もムスリムに依るものとなったろう。

以上、北・中・南の各ルートについて述べてみたが、そのいずれもがイスラム教の東進を遮断した歴史であり、日本はイスラム教の空白地帯となり続け、近代に至るまで、その存在を知らなかった。

ちなみに、日本が真にイスラム教と接触するのは戦前のことで、満州ひいては中国大陸工作への必要上、この未知の宗教と遭遇し、新たな世界に眼を向けることになる（小村不二男『日本イスラーム史』日本イスラーム友好連盟）。その交流は中国の共産主義化により一時的に途絶えるが、その記憶は未だ途絶えずに残っている。

12　キリシタン大名の陰影

イスラム教がフィリピンで堰き止められた代わりに上陸してきたのがキリスト教である。かのザビエルが九州に上陸したのが一五四九年のことである。その当時の世界情勢を鳥瞰してもらいたい。ポルトガル・スペインが世界を二分する勢いで勢力を伸ばしていた。とりわけ、スペインは一五二一年にアステカ王国（メキシコ）を、一五三三年にインカ帝国（ペルー）を亡ぼし、新世界一帯を併合していた。むろん、ポルトガルも負けてはいない。アフリカ沿岸を席巻しインド（ゴア）に至るや、そこを拠点に東アジアに触手を伸ばす勢いだった。

その侵略の尖兵となったのがイエズス会である。その布教がいかに侵略的であったかは、その組織形態から理解できる。彼らは自らを「戦闘部隊」、その会士を「精鋭兵」、その布教先を「戦場」、その総司令官を「イエス・キリスト」と見なす「教軍一体」の体制を取っていた。

そのポルトガルが日本に上陸してきたのだ。

これに呼応したのが九州の戦国大名であった。彼らは、ポルトガルの持ち込んだ鉄砲に飛びつき、瞬く間にその国産化に成功する。その時必要となったのが、銃弾を発射する際に必要な火薬であり、その原料となる硝石だった。

これを手に入れるため、九州の戦国大名はポルトガル商人を招き、キリスト教布教を認めると共に、自らも改宗する者が現れた。大村純忠、有馬晴信、大友宗麟、小西行長等がそれに当たる。

これが日本に災いをもたらした。当時の世界は奴隷売買が極盛となり、教皇庁も認めていた。それに呼応し、日本のキリシタン大名も戦争捕虜をポルトガルに売り捌き、さらには神社仏閣を破壊し、大村忠純に至っては、領民数万人の強制改宗に着手し、それに応じない者をポルトガルに売り飛ばす暴挙に出た。

当時の日本は戦国時代であったため、勝った領国の兵士らは負けた国の領民を乱取りして奴隷とし、あるいは市場で売り飛ばす所業をなしていたが、大村のように改宗しないからといって奴隷とした例はない。しかも彼らは、領民を異邦人（ポルトガル）に売り渡したのだ。

かくして、ポルトガル商人に買われた日本人は世界各地に売られてゆく。近くはマニラ、ゴアから遠くはブラジル、ペルーまで、もちろんスペインやポルトガル本国にも転売された。その数数万。現在、スペインのセビリア近郊にあるユリア・デル・リオのハポン村（日本村）はその痕跡と思われる。

この奴隷貿易を止めさせたのが秀吉である。秀吉は九州征伐の折、長崎が教会領としてイエズス会に寄進され、日本人奴隷がポルトガルに売られているのを大いに危惧し、伴天連追放令を発布する。

秀吉が追放令を出すに至った奴隷の様を、側近の大村由己は『九州御動座記』で次の様に記している。

（伴天連らは）日本人を数百、男女によらず、黒船へ買い取り、手足に鉄の鎖をつけ、舟底へ追い入れ、地獄の呵責にもすぐれ云々。

この伴天連追放令は、キリシタン弾圧の走りとなった事で不評を買うが、冗談ではない。これこそ、アフリカの二の舞を阻止した重要な法令だった。当時のアフリカはベニン王国やアンシャンテ王国を介し、鉄砲と引き換えに奴隷狩りを強いていたが、それを伴天連追放令は阻止したのだ。

ちなみに、その後日本は対外的にはポルトガル・スペイン船を入港禁止に、国内的にはキリシタン弾圧に踏み切るが、それが実現できた理由ははっきりしている。日本が重武装していたからだ。すなわち、ポルトガルやスペインが手を出せない軍事力を誇っていたからである。

当時のスペインの征服活動――アステカやインカの征服――を想い出していただきたい。彼らは、相手が征服可能だと認めるや、ただちに戦闘を開始し、虐殺と略奪の限りを尽くした。さらにひどいのが思想的暴力である。彼らは司祭と共に征服した村や町にやってきてブルゴス法（一五一二年制定）に基づくレケリミエント（降伏勧告状）を読み上げる。

「お前たち、よおく聞け。カトリック教会はスペイン国王に新世界の領有権を与えられた。主たるイエスは、聖ペテロをローマ大司教に任命し、その後継たる教皇は、この地（新大陸）をスペイン国王に授けられた。それ故お前たちインディオはすみやかにキリスト教に入信し、王の主権を認めよ」と。

これをスペイン語で行うのだ。

聞いている先住民は何を言われているのか全く分からず、分かったとしてもその内容はチンプンカンプンで意味を解せず、そもそも教皇だのスペイン国王なる者がどのような存在で、なぜ彼らの宗教（キリスト教）に改宗しなければならないのか理解不能だったろう。

が、それらを一切無視してレケリミエントは宣言され、以後それに対する申し立ては反逆と見なされた。「それを否定する事からくるすべての結果（死や社会的不利益）はお前らの責任だ」と。

これほどひどい思想的強制は古今東西聞いたことがない。

スペイン・ポルトガルの進出した世界とはこのような現状だった。

それが日本だけ例外だとはとうてい言えない。

それを防げたのは、当時の日本が鉄砲の普及率世界一を誇り、戦闘に次ぐ戦闘で、最強の軍事集団を作り上げていたからだ。

そのため、彼らは戦国大名を籠絡し、布教や奴隷貿易にいそしむ道を選んでゆくが、それも秀吉や徳川幕府に阻まれて、達成することができなかった。

日本は、精神的防衛（キリシタン禁教）と物質的防衛（重武装鎖国）により独立を保ってゆく。

13　鎖国について

まずは次のじゃがたら（インドネシアのジャカルタ）に流された一四歳の少女お春の「じゃがたら文」をみてもらいたい。

罪状は混血故の流罪。実父がイタリア人だということだった。

それが祖国日本に恋焦がれ、その思いを連綿として綴っている。

「千はやぶる、神無月とよ。うらめしの嵐や、まだ宵月の、空も心もうちくもり、時雨とともにふる里を、出でしその日をかぎりとなし」から始まり、結びに「あら日本恋しや、ゆかしや、見たや。見たや。見たや」とある（『長崎夜話草』）。

胸が詰まる。二度と見られぬ故国を想い、異国で暮らす少女の姿が目に浮かぶ。

実は、このじゃがたら文は偽作であり、一四歳の少女がこれほど見事な文は書けないとの指摘もあるが。例えそうでも祖国を想うその心情は痛いほどよく分かる。

それもこれも、日本の鎖国の故だ。そして、その要因はキリシタン大名のポルトガル等との強い癒着、さらには島原の乱が決定的な役割を果たしてゆく。

その結果、過去には一向一揆に手を焼いたこととも相まって、ほとほと宗教の抵抗に悩まされた江戸幕府が数次にわたるキリシタン禁教令を発布し、西欧との交易に限っては長崎のみに交易を限定した、いわゆる鎖国体制に踏み切った。

まだある。当時は宗教以外の問題も起こっていた。

それは、関ヶ原の合戦以来、職を失った武士たちが海外に活躍の場を求め、出国していたことである。当時の日本の主要輸出品が武器（刀剣等）と傭兵であったことがそれを示す。かの有名なアンボイナ事件（一六二三年）がそれに当たる。この事件は、アジアの香料をめぐりオランダがイギリス商館を襲った事件だが、その争いの主役となったのが日本人傭兵で、彼らがいなければ達成することはできなかった。実は、イギリスも日本人傭兵を抱えており、当時の西欧諸国は皆日本人傭兵を必須のものとしていたのだ。

この日本人傭兵がいかに必要なものだったかは、徳川幕府が鎖国のため日本人傭兵の海外渡航を禁止した折、血相を変えたオランダの商館長が、傭兵解禁を願い出た事からも容易に分かろう。当時の日本人の活躍は東南アジアに点在した日本人町によって知られるが、西欧のアジア支配の成否にも重要な鍵を握っていたのだ。

14　日本人と予定説

現在、ＩＳ（イスラム国）やタリバンの全体主義支配が縷々紹介されたため、イスラム原理主義の実態が広く認識されることになった。では、キリスト教原理主義の場合はどうなのか？　彼らが支配すれば、どのような社会になるのだろうか？

　それを端的に示したのがジュネーブ（スイス）でのカルヴァン支配だ。そこでは、予定説を楯に取り、究極の全体主義支配が行われた。

　この予定説というのが大変な代物だった。というのも「神は人の救いを天地創造以前から予め決めていた」とする教義を持っていたからである（小室直樹『日本人のための宗教原論』徳間書店）。

　これでは、人の行為（信仰や善行等）の意味などなく、神が勝手にその運命を決めていることになる。例えばここに、オリンピックを目指すマラソン・ランナー（代表候補選手）がいたとする。彼は苦しい練習をものともせず、オリンピック出場を目指して日々努力する。おそらくその脳裏には、出場した折の感動が鮮明に浮かんでいたに違いない。

　ところがある日、オリンピック選考レースの出場を拒絶され、次のように言われたらどうするか？

「お前は、このレースに出られない。なぜなら、予めオリンピックに出ることを禁じられていたからだ」と。

　その瞬間、候補選手は立ち尽くし、次いであらん限りの怒りをぶちまけるはずである。

「絶対に承服できない。こんな不条理がまかり通ってなるものか！」と。

　実は、これと同じことを予定説は言っているのだ。人が救われるか否かは予め神に決められ、人の意志や努力など一切役に立たない、と。

ちなみに、日本人がこれを聞けば、まず仰天すること疑いない。善因悪果・悪因善果に成りかねない予定説など、とんでもない暴論に見えてしまう。そしておそらく、こう言うだろう。

「これでは神も仏もない」と。

しかし、翻って考えれば、これでいいのだ。神が絶対である限り、人の信仰や善行に縛られるわけがない。もし、そのような行為に縛られれば絶対でなくなるからだ。神はただ、自らの恣意のまま、救済の有無を決定するだけである。したがって、後はただ神の恣意に従う他ないのだが、ここに唯一自らの救済を予測する道が残っていた。

それは、「もし救済される者がいたとするなら、それは熱心なキリスト教徒で、隣人愛を実践する者であるはずだ」との思いである。そのため人は、修道院由来の「祈り、かつ働け」とのスローガンを規範化し、労働を隣人愛の証しとし、それを阻害する一切の誘惑を極力退け（禁欲し）、蓄積された資本をいささかの浪費もなく再生産に回すことで資本主義を用意することになってゆく。これが、マックス・ウェーバー（社会学者）の言う資本主義形成の過程である。ウェーバーはこの件につき主観的な評価は避けているが、これこそ西欧世界の功績だと思っている節がある。「西欧だけが近代化をできたのは、予定説が創り上げた成果である」と（ウェーバー『プロテスタンティズムの倫理と資本主義の精神』を参照）。

ちなみに、こうしてできた社会（ジュネーブ社会）を見ると、これが何とも凄まじい。何というか、神経が擦りきれんばかりの社会である。

まず、娯楽という娯楽は禁じられた。いささかの贅沢も許されなかった。食卓の状況さえ念入りに調べられた。二〇人以上招いてやる家族の祝いも禁じられた。出す皿数も限られた。駕籠や馬車に乗ることも禁じられた。男女関係も厳格に規制された。婚約者同士、いや夫婦間にも容赦はなかった。外部との接触には厳重な規制が課せられた。許可無く出版することも外国へ手紙を出すこともいけなかった。要するに、生きて労働するだけが許された。それ以外の暮らしについては義務・義務・義務、禁止・禁止・禁止の束だけが積み上げられた。ここまで来れば、戦慄を通りこしてこっけいだった。

むろん、違反すれば、厳罰が待っていた。見せしめのため、血だらけになるまで鞭打たれる者、灼熱の鉄棒で舌に穴を開けられる者、財産没収の上追放される者が続出した。追放・拷問・処刑がひっきりなしに行われた。プロテスタント社会において、初めて焚刑が行われたのもここジュネーブである。

近年のタリバン支配に匹敵するすさまじさだが、これが資本主義を用意したカルヴァン支配の実態だった。

よくわれわれは、第三世界（非西欧世界）の住人から「資本主義はあまりに強迫神経症的だ」と揶揄されるが、その発言は故なきものではなかったのだ。それは今でも、資本主義の苛烈さにその面影が残っている。「働け、働け、なおも働け。合理的に禁欲的に時間をいささかも浪費せずに」と。

ちなみに日本は、幸か不幸かそれに適応できてしまった。労働を神聖化する精神も時間を厳守する精神も共に持っていたからである。日本人はキリスト教原理主義（予定説）に驚き呆れ返ったが、その結果には付いてゆけたのである。日本が西欧に伍してゆくことができたのは、こうした伝統に依っている。

15　変な神のおかしな論理——日本人から見た聖書の記述

さてここで、一神教の原型について見てみよう。

周知のように、一神教はユダヤ教、キリスト教、イスラム教と続く神を同じくする教えだが、ごく大雑把に区分けすると、ユダヤ教が『旧約聖書』と『タルムード』、キリスト教が『旧約聖書』と『新約聖書』、イスラム教が『旧約聖書』と『コーラン』を基本にしている。つまり、旧約聖書を基にして、その解釈を異にしたため枝分かれしたと言えるであろう。

そこで重要なのが三教共通の旧約聖書となってくるが、これが極めて難解なのだ。というのも、そこで駆使される神の論理がまったく分からないからである。それどころか、まるで正義をないがしろにしたような所がある。

例えば、聖書の歴史的始まりは、アブラハム、イサク、ヤコブと続く原始ユダヤ人の物語だが、これが何とも血なまぐさく謀略に満ちている。

まず驚くべきことは、アブラハムが（神の呼びかけに応じて）息子イサクを神の犠牲に供しようとしたことだ（創世記22章）。

ごく普通の感覚からは狂気の沙汰としか言い様がない。さしずめ今なら、カルト教団の子殺し未遂事件とでも言っていい。

だが、これが聖書の圧巻となるところに何とも解せないところがある。

それは、「ヒトは互いに信じ合い、それを試すことをしてはならない」とする日本社会の前提が壊れかねないからである。ということは、この前提を是とする限り、日本人はアブラハム・ストーリーを認められないということだ。つまり、いかに神であっても、ヒトの信仰を試すため子殺しを命ずるなどもっての他のこととなる。

こうした前提を持っている日本人が、アブラハム・ストーリーになじめないのは当然のことであろう。それは、互いが互いを信じ合えないいびつな関係にしか思えない。

一方、これ以上に難解なのがイサクと息子たちの間柄だ。

イサクの家督を継ぐ者は長子のエサウであったが、眼の見えなくなったイサクを騙し、弟のヤコブが家督権を横取りする。そのためエサウは大いに怒り、イサクに取り消しを求めるが、イサクはそれに応じない（創世記27章）。

これがまず不思議である。

騙されたのが分かっていながら、なぜエサウの言い分を認めないのか？　なぜ騙したヤコブを咎めないのか？　そもそもヤコブの行動は義に反したものではなかったか？　それに聖書は一言も答えていない。それどころか、ヤコブに対する咎めはなく、彼を愛でているかのようである。

異教徒や異邦人への扱いはもっとひどい。ヤコブは、娘に求婚を申し出た異部族（異教徒）の男たちに言葉巧みに割礼を強い、その痛みに苦しむ者たちをことごとく殺戮した。まさに卑劣なだまし討ちだ（創世記34章）。

聖書によると、ヤコブの娘は、その部族の一員に強姦されていたといい、その限りでは報復の権利を持つのだが、それでも正式に求婚してきた者たちを皆殺しにしてしまうとはいったいどういう了見か！　そして、この場合もヤコブを咎める言葉はない。

このことから次のことが了解できよう。「聖書は、異教徒・異邦人に対するだまし討ちや殺戮を公然と許している」と。

では、なぜこのような理不尽が認められているのだろうか？

おそらくそれは、砂漠の略奪文化を一部引き継いだことによろう。一神教の生まれた地は砂漠である。そこでは、やらずぶったくりが横行し、血で血を洗う抗争劇がひっきりなしに起こっていた。

それがいかに凄まじいものであるかは、ウマイヤ朝期の詩人アル・クターミーの作品が語っている。

我らの仕事は敵を襲い
隣人を襲い
もしほかにだれも襲撃する相手がいなければ
我らの兄弟を襲うことだ
（ラファエル・パタイ『これがアラブだ』脇山俊・脇山怜訳、ＰＨＰ研究所）

砂漠的人間の剝き出しの欲望と集団間の絶え間ない抗争が見事に描写されている。その一端を示したものこそ右の聖書物語であったろう。

それにしても、なぜあまりに血なまぐさい抗争を神は是としたのだろうか？　なぜ、このようなだまし討ちや殺戮行為を愛でているのか？

神はそうした抗争を止めるため存在しているのではなかったか？

それを言及する前に、もう一度事実関係を見てみよう。

神はあからさまに子殺しをそそのかす。盲目の老人が騙されるのを平気で見ている。それに怒った長子の存在を無視してかかる。おまけに、異民族・異邦人たるや、まるで眼中にないかのようにその殺戮を黙認している。その時の心の痛みは全くない。それどころか、聖書はそれを愛でているようである。シナイの地を席巻したヨシュア記たるや、これはもう全編ジェノサイド（民族皆殺し）の連続である。

これでは、不義と流血を奨励しているようなものだ。これが悪魔の所行ならしごく納得できるのだが、それが神意であるところに神義論の主題がある。

これをどう考えるか？

まず考えなければならないのは、どのような教えでも、その地の伝統や慣習をすべて否定することはできないということだ。それどころか、その一部を自らの中に取り入れなければ信仰は広まらない。新宗教は、その地の伝統を破壊する革新者であると同時に、その地の伝統を継承する新保守派でもあるのである。

それは、旧来の伝統と戦えば戦うほど、不可欠なものとなっていった。だから、ニーチェも言っているではないか。「怪物と戦う者は自らも怪物にならないように気を付けろ」（『善悪の彼岸』）と。

要するに、悪と戦う者は悪に染まるということだ。

このテーゼは、一神教にも当てはまる。彼らも、この地の負の遺産を有形無形に引き継いでいた。また、そうとしか考えられない。

では、その遺産とはいったい何か？

それは、略奪と謀略の遺産である。先の砂漠の詩人の詩はその典型的な例である。彼らは略奪と襲撃を自らの文化の基本に置いた。また、だからこそ、それを誇らしげに歌っているのだ。

聖書もそれと同じである。だまし討ちに成功したのも、異教徒を皆殺しに付したのも、共に当時の習いであり、それを愛でているのである。少なくともそれを悪だという認識は希薄であった。だからこそ、それを大々的に書いているのだ。聖書はそれを恥じていない。

聖書の日本的解釈（とりわけ日本人クリスチャンの解釈）がことごとく誤っているのは、このことを誤解しているからである。日本人（クリスチャン）は、そこに書かれてある策略や殺戮を聖書にあるまじきものと思い込み、弁明に弁明を重ねたが、そうすればするほどに聖書の原型は失われ、変な神のおかしな論理になるしかなかった。

われわれは、聖書の実態をまず素直に見ることから始める必要があるのである。

16　事が起これば聖書由来で考えられる

ハルマゲドンという言葉がある。聖書に出てくる世界最終戦争が起こる場所である（後にハルマゲドンは最終戦争そのものを指すようになる）。この場所は、イスラエルのメギドの丘を指しており、当地が古戦場であったことから、こうした謂れになったとされる。ただ、これが出てくる箇所といっても、ヨハネの黙示録一か所しかない（黙示録16：16）。それもごくごく短く、読み飛ばしてしまうような記述である。

それでも、ハルマゲドンが云々されるようになったのは、いつか終末の日が到来し、その時世界は大団円を迎えるとする一神教の歴史観に依っている。事実、キリスト教系の新宗教や原理主義者はこの見解を取る者が圧倒的で、悪魔（サタン）との最終戦争を経て最後の審判が下るとする特異な教義を持っている。

これが事をこじれさせる。最終戦争の勃発をただ待つのではなく、その到来が早まるのを待ち焦がれ、ついには戦端を自ら切ってサタンを倒そうというのである。

何とも無茶な話だが、このような考えが一定の力を持っているのがアメリカの宗教事情だ。

だが、こうしたハルマゲドン幻想が、宗教界に留まっているならば、まだしも許容範囲であった。しかし、これが世俗内に流出して、政治的領域にも及ぶとなると話は別だ。

これは大変なことになる。事実、この妄想が米大統領（ロナルド・レーガン　一九一一－二〇〇四）に取り憑いて、具体化されたことがある。一九八三年に発表されたスター・ウォーズ計画（戦略防衛構想＝ＳＤＩ）である。ソビエトが発射した弾道ミサイルを宇宙空間で迎撃し、撃ち落としてしまおうというのである。

では、なぜこのような計画を彼は思いついたのか？

それについてレーガンは次のように言っている。

（ハルマゲドンは）もうそんなに先のことではあり得ない。エゼキエル書は闇の勢力のすべてを率いてイスラエルに攻め込む民ゴグは、北から来ると書いてあります。聖書の研究者たちは何世代も前からゴグはソ連だといってきています。イスラエルの北にある強国と言ったらソ連以外にないでしょうが。しかしロシア革命以前ロシアはキリスト教国だったから、その時までは預言は意味をなさなかったわけですよ。今は意味をなすじゃありませんか。なにしろソ連は神を信じない共産主義の国で、自ら神に背いたわけですからね。今ではあの国はゴグにぴったりの条件を備えていますよ。（グレース・ハルセル『核戦争を待望する人びと』越智道雄訳、朝日新聞社）。

これを見ると、聖書関連の地（この場合はイスラエル）で緊張が高まると、過剰な妄想体系が飛び出して来ることがよく分かる。実際、スター・ウォーズ計画が発動したのは、一九八二年のイスラエルのレバノン侵攻の直後である。レーガンは、この時、真にハルマゲドンを予感したのだ。

もう一つ例を挙げよう。

それは、イスラエルの対パレスチナ政策に垣間見える。つまり、先住民たるパレスチナ人を殺戮・追放する中に、聖書由来の反復強迫が噴出している。ヨシュア記がそれに当たる。

この場合、問題なのはその殺戮を神が愛でていることであり、それを正当化することで後々の時代に引き継がれてゆく。事実、現代のヨシュアたち（現イスラエル人）も、聖書の記述と同様に、パレスチナの先住アラブ人（パレスチナ人）を殺戮・追放していった。

これがヨシュア・コンプレックスと呼ばれるものだ。彼らは、聖書由来の事件に対し反復強迫を重ねているのだ。

これから見ても、ユダヤ人やキリスト教徒が、聖書由来の出来事を現実に還元していることがよく分かる。またそれを、自己の行為の指針としている。

これがいかに危険なことかは、右に述べた通りである。

日本人には聖書に書かれている記述など遠い昔のことに見えるが、その実国際政治のただ中に非常な力を持っている。これが一昔前のことなら、遠い異郷の奇妙な教えと放っておけばそれで済んだが、現代ではそうは行かない。世界が狭くなってきたために、国際政治の背後にある聖書由来の幻想にも眼を向ける必要が生じてきた。

われわれは、好むと好まざるにかかわらず、この地に生まれた一神教の在り方を学ばざるをえないのだ。

イスラム世界の未来——あとがきにかえて

あとがきを利用して、現在のガザ紛争に触れておく。周知のように、今中東では、ハマスのイスラエルへの奇襲から始まった抗争が数か月続いている。イスラエルとパレスチナの戦いは今に始まったことではないが、今回は常なる衝突を上回る戦闘に発展し、その先が見えにくい。

その一方、当事者たるハマスとイスラエルには目標を同じくするところがあり、その裏面では手を握っていたとの報告が寄せられている。つまり、両者は共に二国分割案（パレスチナ国家樹立による二国並立）に反対する一点でつながっていたというのである。それによると、イランから流れる資金がイスラエルを経てハマスに渡っていたとされる。中東は何でもありの地域なので、その報告もまんざら嘘ではなさそうだが、仮にそうでも今回の衝突で、すべては無に帰したと思われる。

では、その結末はどうなるのか。私はどちらも勝者になりえないと思っている。軍事的には、イスラエルが圧倒的な力を持つ故ハマスを制圧する形で終息を見るであろうが、問題はその後のことで、仮にハマスを倒しても紛争は継続する。

となれば、どうなるか。一方が音を上げなければ、両者ともヘトヘトになるまで戦い続け、その限界に達したところで痛み分けになるであろう。それは、イスラエルと周辺アラブ（エジプトやシリアなど）の抗争を見ればよく分かる。イスラエル建国を発端に四半世紀にわたり四度もの大戦と無数の小競り合いが戦われ、ようやく矛が収められることになった。その二の舞を、今度は国家に代わって民兵組織（ハマスやヒズボラなど）がやっているのだ。その紛争の着地点はパレスチナ建国による二国分割になるしかないが、この場合人の持つ常なる性（さが）は理性的な判断を避けるのが常であるため、多大な犠牲を払うまで戦いは終わらない。今は矛を収めても、双方の納得が行くまで戦いは続いてゆく。右の国家間戦争では、第四次中東戦争でエジプト・シリアが善戦し、一応の納得がいったところで終息した。おそらく、今回も同じ道をたどるであろう。

したがって、今国際社会（とりわけ周辺諸国）がやるべきことは、この衝突が拡大し中東全土に波及しないよう封じ込めることである。具体的には、イラン・イスラエル戦争を防止することである。もともとイランは、革命前のシャーの時代、イスラエルと良好な関係を保っていた。だが、革命政府になってからそれが一変してしまい、とりわけイランが核開発を進めるに及び決定的に破綻した。それが今回のガザ紛争で、さらに深刻度を増している。これはきわめて危険な状態で、紛争を止められぬまでも、それが拡大しないようガザ地区のみに封じ込める必要が生じている。したがって現在は、それが実現できるか否かが最大の課題となっている。日本は、その解決に寄与する力をわずかしか持たないが、石油を当地に全面依存していることを鑑みれば、可能な限り努力する必要があるだろう。

最後に、編集を担当し、その都度アドバイスをしていただいた小林公二さんと、春秋社の皆さんに謝意を告げ、あとがきに代えることにしたい。

二〇二四年四月二〇日

小滝 透

小 滝 透 *Toru Kotaki*

1948年、京都市生まれ。金沢大学法文学部文学科中退。サウジアラビア王立リヤド大学文学部卒業。第2回・第9回毎日21世紀賞受賞。ジャーナリスト、ノンフィクション作家。宗教・歴史・政治を中心に著書多数。主な作品に、『さらばネフドの風——イスラームの神とサウジアラビア留学日本人』(第三書館)、『サハラの果てに——メッカを遥かに望んで』(時事通信社)、『神の世界史 イスラーム教』『神の世界史 ユダヤ教』『神の世界史 キリスト教』(河出書房新社)、『ムハンマド——神の声を伝えた男』(春秋社)、『宗教史地図』(朱鷺書房)、『アラブ炎上』(春秋社)、『中国共産党——毛沢東から習近平まで異形の党の正体に迫る』(ハート出版)、『アメリカの正義病、イスラムの原理病』(岸田秀との共著、春秋社)など。

イスラム世界に平和は来るか?

抗争するアラブとユダヤ、そしてイラン

2024年6月25日　第1刷発行

著者————小滝　透
発行者————小林公二
発行所————株式会社 春秋社
〒101-0021 東京都千代田区外神田 2-18-6
電話 03-3255-9611
振替 00180-6-24861
https://www.shunjusha.co.jp/
印刷・製本——萩原印刷 株式会社
装丁————芦澤泰偉

Copyright © 2024 by Toru Kotaki
Printed in Japan, Shunjusha
ISBN978-4-393-34125-4
定価はカバー等に表示してあります